思想の流儀と原則

鶴見俊輔
吉本隆明

中央公論新社

思想の流儀と原則　目次

装幀　高林昭太

思想の流儀と原則

I

根もとからの民主主義

鶴見俊輔

1

私は、一九四二年八月二十日に、アメリカから日本にかえって来た。そのときから一九四五年八月十五日まで、日本の敗北の仕方について考えて来たが、この見とおしは、実現した形からは、かなり遠いものとなった。玉砕の数量が、アッツ、マキン・タラワ、サイパンと、だんだんに比率がへってゆく。このことと無関係に、一億玉砕という標語が、政府からくりかえし出されていた。

玉砕しないものの比率がのびてゆくことについては、希望がもてたが、他方では一億玉砕という標語にそのまま押されてゆく心配があった。反対の声は、非常にかくされた仕方でも、あがらなかったということが、事実である。

一九四五年八月十五日に、敗戦が来た。敗戦は、政府の一億玉砕の標語にたいする反対の声におされて来たのではなく、政府の最高首脳によって民衆の反対の声を先どりしてえらまれたものとして来た。戦後の民主化は、アメリカで教育をうけた私などにとってありがたかったが、同時に、自発性の欠如ということが裏側につきまとっていて、戦争中以上の絶望感をつくった。民主主義者、自由主義者（それから当時はかんじなかったのだが、今から考えてみれば共産主義者、社会主義者も）が、絶望感から自由であることが、不思議にかんじられた。ここには、ルールの欠如がある。自分の思想のルールから逸脱した時期のことについての記憶を保つことができず、このために、戦後の日本が、かれらの終始一貫して努力しもとめて来た民主主義、自由主義の確立を示す時期であるように見えたのである。ルールからの逸脱についての意識をつくり得なかったことは、かれらが、占領軍にたいして出した追放関係書類、追放解除願書、司令部あての手紙などに示されている。（これらの資料について、アメリカの学者ベアワルドの著書『占領下における日本の指導者の追放』一九五九年）があるのに、日本の学者がこれらの資料をつかって研究を発表し得ないのはおかしい。政府は、これらの資料を自由に公開して、みずからの弱点についての自由な研究を国民にまかすほうがよい。）かれらは、この時期に、かれらの一九三一年—一九四五年にかけての政治思想を守って、それによって占領軍の政治思想を批判することをせず、まず占領軍の政治思想を一挙にうけいれてしまい、その正当性のかげにかくれて戦時の自分たちの思想を正当化しようと計った。私は、この戦後の時代に、追放関係の書類を見る機会をもったので、今日、政府与党の政治家として院外のデモに屈せずゆるがぬ姿勢をとっている日本の自由主義者・民主主義者が、この敗戦後の一時に、いかに、うそうそとした存在であったかをおぼえている。それが、軍事力（現代的意味における国家機構の中核）の支えを失ったときの、かれらの存在のスタイルである。今では、かれらは、別の国家・別の軍事力を支柱としてもつゆえに、戦前とおなじゆるぎない姿勢をとりもどした。戦前においてもいくぶんはそうであったろうが、戦後の今日、かれらのゆるぎない態度を支えるものは、天皇信仰ではなく、べつの国家の軍事力である。

共産主義者は、この時期に、よりよく動ける位置にいた。一九四六年のはじめに、そのころ私の住んでいた熱海で共産党の集会がひらかれたころ、監獄から解放されたばかりの砂間一良の黙しがちの話が終ると、司会者が、入党を希望されるかたに用紙をあげますといった。即座に、何人もの青年男女がのこって用紙をもらいに中央に集まっていった。この若い人びとは、共産主義についてほとんど何も知らずにそだった。そのためにかえって、戦争一色の時代に、戦争に反対して来た人びとがとにかくここにいたということへのすなおな感動をもった。共産党は、この単純な事実の上にたって、敗戦直後の時期に、政治運動をくめばよかった。戦争によって焼野原ができ、日本の国民全体が戦争のために苦労していることがはっきりした事実である以上、戦争に責任のある人には退いてもらうということを政治的プログラムの一部として公平にくみいれることができたはずだ。ところが、共産党は、それをせず、戦争責任の追及を、敗戦後の時点における日本共産党への協力・非協力とほとんど同じ意味のものとして、すすめていった。戦争責任、資本主義への賛否、反共・容共という、ちがう争点をだきあわせにして、おしすすめるという共産党のこの方法は、敗戦直後のわずかみじかい時期に、日本共産党をふとらせる原因になったが、その後また急速にやせさせることの原因ともなって、今日を迎えている。敗戦の時点において、戦争責任を日本国民の手によってあきらかにする政治運動をおこすことができたなら、このことは、日本における自主的な戦後の時代をつくることができたはずだった。敗戦直後の時代に、斎藤隆夫とか、田川大吉郎、尾崎行雄、幣原喜重郎、吉田茂、さらに馬場恒吾、石橋湛山のような人びとが重んじられたことのなかには、そういう動きの芽があったと思われる。敗戦の時点における混乱と無政府状態の中でさえ、戦争責任者をふくむ政府の打倒を実現することができなかった進歩勢力としては、ファシズムに反対して来た人びとの超党派的結集を計って保守的なしかし戦争責任から比較的自由な政府をつくることを助けるのがよかった。

しかし、敗戦時、敗戦直後のこのような機会は、ほとんど超党派的な全員一致の努力ではぐらかされた。日本では戦後は本当の意味ではこなかった。それ以来、私たちは、ふたしかな地盤の上にあたらしくビルをたてて住んでいるが、すべての戦後の文化らしきものが、われわれが古いとわらう明治時代の文化以上にふたしかな地盤のうえにすえられていることに、どうしようもない情なさを感じている。このままで、ずっと時がすぎてゆくのか。

一九五七年二月に、戦時の革新官僚であり開戦当時の大臣でもあった岸信介が総理大臣になったことは、すべてがうやむやにおわってしまうという特殊構造を日本の精神史がもっているかのように考えさせた。はじめは民主主義者になりすましたかのようにそつなくふるまった岸首相とその流派は、やがて自民党絶対多数の上にたって、戦前と似た官僚主義的方法にかえって既成事実のつみかさねをはじめた。それは、張作霖爆殺―満洲事変以来、日本の軍部官僚がくりかえし国民にたいして用いて成功して来た方法である。その幾番目かにつみかさねられた既成事実が、五月十九日の強行採決である。六月二十日米国大統領の日本訪問の前日までにおくりものとして日米新安保条約が成立するように衆議院で自党の議員にさえよく知らせずに急に単独採決を計ったのであった。五月十九日のこの処置にたいするふんがいは、われわれを、遠く敗戦の時点に、またさらに遠く満洲事変の時点に一挙にさかのぼらした。私は、今までふたしかでとらえにくかった日本歴史の形が、一つの点に凝集してゆくのを感じた。公平に考えれば、岸首相ほど見事に、昭和時代における日本の支配者を代表するものはない。これより見事な単一の象徴は考えられない。アメリカの大統領が、このような事情を考えることなく、この象徴に自己を結びつけ、この象徴をとおして自己を表現しようとして日本に来ることは、アイゼンハウアーが第二次大戦の最中、また戦後においてさえはたして来た役割を考えると、気の毒なかんじがする。

2

私は、さかのぼって生きることができることをかんじた。目の前にあるこの一点に、私が今までもって来た関心のかなり多くの部分をかけることができる。しかし、このように、私、私というときの私とは何か。それは、明白に他のいくつもの私とはちがうひずみをもっており、しかも、このひずみある通路をとおしてでなくては私は歴史にはたらきかけることができない。私は、私のひずみからくる錯覚を日々あらたに計算しながら、しかも私を信頼して歴史にむかう他はない。

私の中には、目の前に実現された社会制度よりも、より高い社会像と、より低い社会像とが、つまっている。自分の中にあるより高い理想像をかかげて、目前の社会にはたらきかけてゆくことが、革命的な行為だと思う。

この私の中の小さな私のさらに底にひそんでいる小さなものの中に、未来の社会のイメージがある。私が全体としてひずみをもっているとしても、分解してゆけば、ゆきつくはてに、みんなに通用する普遍的な価値がある。このような信頼が、私を、既成の社会、既成の歴史にたちむかわせる。国家にたいして頭をさげないということは、私が、国家以上に大きな国家連合とか、国際社会の権力をうしろにせおっているからでなく、私の中にたくみに底までくだってゆけば国家をも、世界国家をも批判し得る原理があるということへの信頼によっている。このような考え方が、思想史的な系譜としてどこからはじまったかは、議論の余地があるが、ピタゴラスにあり、ユダヤの予言者にあり、シャカにあり、老子荘子にあったと考えてよいのではないか。普遍宗教の成立は、そのような契機をふくんでいるように思う。もっとも小さな私の中にひそむ可能性への信頼が、革命の思想の中にどうしても入って来なくてはならない前提であるように思う。

私は、国会解散を要求する思想の科学研究会の声明とそれを出す前の討議の記録を読んで、かなりがっかりした。なぜ、革命、革命と、そうひじをはって言うのか。こういうスタイルそのものの中に、私自身のもっているひずみはあきらかである。私の上、三代ほどは、政治家がおり、いずれも多少の権力をにぎっていた時期があった。こうした理由で、私は政治家にたいして軽蔑感をもつとともに、自分のきらいな政治家的スタイルが自分の中に明白にあらわれてしまうことがある。こうした階級的感覚が、前にのべたような意味での私への信頼とかさなりあって、私の場合には出て来ている。その場合、前のものをふまえてたえずわりびきしながら、あとのものにむかうという方法しか、考えることができない。私以外の人の場合にも、「私」にたいする信頼というのは、別種のものであってもやはり同類の手続きを必要とするのではないだろうか。このような手続きをへずに、一挙に、私の中のより小さな普遍人を抽出し、それ以後はひずみある私をすてて万人共通の理想にのみつくというようなタイプの革命的行動は、おそらく革命への能動的参加の形とはいえない。

私にたいする信頼を中心におくとき、思想と認識との関係が、あたらしくとらえられることが必要だ。戦前（戦中をのぞき）戦後の進歩派・革命派の思想運動は、科学的認識のつみかさねが、そのまま、革命的行動にむかうかのような前提をもった。それはちがう。戦争の最中の私の経験から言って、戦争の敗北についての見とおしをもつことから、戦後の再建へのプログラムにしたがって戦争中に行動をはじめることに向う途には、両者が最も近くなったそのところにおいてさえ狭い明白な峡谷がある。科学的な認識をつみかさね、くみあわせて社会改造の展望をつくる方法は、思想の化学的合成の方法と言える。この方法も、実りがあるとは思うが、戦前・戦後の進歩派はこの方法に期待をかけすぎることで、かえって平衡を失しているように思う。もっと別に私そのものからむかう道、私の複合をとおして社会改造の展望をつくる方法があり、これは思想を成長としてつかむ方法、思想の生態的把握の方法であろう。このあとのものに重点をかけることをとおして、何らかの事業を支えるに足る思想、何らかの仕方で生きられる思想への道をきりひらくことができる。

科学に背をむける思想は失敗する。同時に、科学の学習がそのまま思想をつくると信じることは、思想を積極的な生活形態、事業形態から切りはなしてしまう。

敗戦のときに、戦争責任をあきらかにするということを一つの争点として政治運動をおこすことのできる立場に、共産党があったことは前にのべた。しかし、このことのできる立場にあったのは、共産党だけではない。本道派の天理教、大本教、創価学会、それからキリスト教では、ホーリネス派、燈台社、再臨派などが、戦争反対をつらぬく人びとを出した。この人たちが、敗戦直後の時代に、共産党のように新聞・ラジオ・雑誌の照明をあびなかったということには、日本の文化そのもののひずみが見られる。庶民の宗教であるこれら流派の人びとの戦争反対の姿勢を、国民につたえる用意をもつジャーナリストや学者はいなかった。だが、ひろく日本の歴史を見わたすならば、共産党員がソ連共産党の指令を守って十五年戦争反対の姿勢をつらぬきとおすよりも、どこの国の機関に命令されたのでもなく日本の大衆が戦争反対の姿勢をつらぬくことのほうにはるかに重要な意味があったことはたしかである。だが、戦前戦後に日本の左翼のにないつづけた科学主義からすれば、天理本道にしろ、大本教にしろ、創価学会にしろ、「科学的世界観」にたたずに戦争反対の道をゆくものは、目的をともにするかぎりで利用できるというふうにしか考えられなかった。だが、これらの流派が戦争反対のしんをもっていたということは、やがて、敗戦直後の民主主義時代がおさまって逆コース時代に入ってから、ゆっくりと力をあらわしてくる。

五月十九日以後の独裁主義反対の運動は、戦後の二・一スト（一九四七年）、破防法反対運動（一九五二年）などと次の点でちがっている。今度の運動には日蓮宗の僧侶たちが一緒にデモに参加しており、大本教が関西に世界平和都市宣言をしたあたらしい都会をつくって平和運動を支持しており、さらにまた本願寺系の参議院議員が仏教徒の良心にかけて日米新安保条約の単独審議には同調できないとして自民党をはなれ、創価学会出身の議員も自民党の単独審議に難色を示している。これらのグループが独裁主義反対の運動にただ参加しているということで、数量としてだけ評価するのでは、前とおなじ利用主義で終ってしまうだろう。これらのそれぞれの私性をよく見て、かれらの感じ方、考え方がわれわれの感じ方、考え方にとってあたらしい影響をもつものとするほうがいい。このことは、科学と思想の関係について、大正・昭和時代の進歩派の考え方を根本的にかえることを必要とする。

戦前のマルクス主義運動のさかんな時代に、僧侶出身の妹尾義郎は、貧しい檀家をもつ全国の僧侶に呼びかけて仏教による軍国主義反対の運動を計画したが、この運動は、この一九三六年ころでは思いつきに終り、大衆運動としての成果をあげ得なかった（しまね・きよし「新興仏教青年同盟」『共同研究・転向』上巻、平凡社）。進歩派の側の科学主義もまた、この種の運動の発展を助けなかった。しかし、妹尾の考え方は、一九三六年に実らなかったとしても、今日から未来にかけては実りうるものをふくんでいる。

またもう一つ、私の見たことで例をひけば、敗戦直後の『人民評論』という雑誌で、除村吉太郎が「人間関係を再現批判せよ」という論文を書き、この中で、宮沢賢治の文学を反動的なもの、民主化をはばむものとして徹底的にしりぞけたが、除村のこの論文はおもしろい文章ではあったが、宮沢の評価の仕方には当時の（またおそらくは現在の）進歩派の学者たちのもつ科学主義がよくあらわれている。シベリア出兵から満洲事変にかけての時代に天皇崇拝・軍国主義讃美の作品を書かずにすごした宮沢賢治、大東亜戦争のさなかにこの戦争に反対の意志を表明した石原莞爾、さらに小学校教師として人間地理学、社会地理学を研究し、さらに戦争反対のゆえに獄死した創価学会の教祖・牧口常三郎、これらの人びとが日蓮宗のながれから出て来たことに、重要な意味をみとめたい。これらの人びとは、私的な根の上に日本の現実の国家機構を批判する思想をそだてた。このように、私的な根から思想をとらえなおすということなしに、政府批判の思想はそだち得ないし、このことなしに、自発的な革命は不可能のように思う。

3

これまでに書いて来たことは単純な一つのことをさしている。思想の私的な根をとおして、国家機構の次々につくりだす既成事実にたいするのでなければ、国家が明白にまちがっていることをきめている場合にもそれをくつがえす行動計画はたてられないだろうということだ。この意味で、一九六〇年五月十九日から進行している状態は、国家対私、という二つのものの背反を、古典的な仕方で示している。

それぞれが私の根にかえって、そこから国家をつくりかえてゆく道をさがす。このことが中心におかれるならば、政府批判の運動は、無党無派の市民革命としての性格を帯びる。どんな公的組織にぞくしている人も、その私の根にさかのぼれば、私としてはつねに無党無派だからだ。私の根にかえって、各種の公的組織のプログラムをつくりかえることなしに、本格的改革はなされない。

市民革命を、われわれは、一六四九年のイギリス、一六八八年のイギリス、一七七六年のアメリカ、一七八九年のフランスに歴史的に限定して理解しているが、市民革命をとおしてもたらされた制度から利益をうけて来た日本のような国にとっては、あたえられた市民制度をもう一度自分たちのものとしてみとめるためにあたらしい市民革命を経ることが必要になる。今まで見たかぎりでの大衆運動は、そのような形をとっている。すでにあたえられている憲法を守れという要求が、現実の政府を根本からぬきあげてしまうほどの徹底的変革の指導理念である。日本の憲法は、敗戦直後の文化国家・平和国家への日本の転生を約束するものとして、非常にひろく市民の権利を保証して市民が私生活を享受できるようにつくられており、また今日の世界では軍事力と国家主権とがふつうにはきりはなしにくいものになっている常識をやぶって、軍事力をもつことを禁じている。これは、国家以下の準国家としてみずからを世界にさし出すことを意味しており、強制力のない国家へのつよい志向をもっている。この憲法にあるような国家をひとまず実現するために努力することをとおして、われわれは日本国憲法によって保証された、国民的規模における国家批判の運動にのりだすことができる。敗戦直後の混乱の中での憲法の誕生は、このような劇的展開を未来に約束していた。しかし、そのときには、前にのべたようにうそうそした存在として日本の国家主義者たちがあったために、この点を批判してまっこうからアメリカに反対することを誰もあえてしなかった。だが、戦争を禁じ、各市民に自由な私生活を保証する憲法であるとしても、この憲法を守ろうという運動方法によってはこの憲法を守ることはできない。この憲法をつくった精神にかえってでなければできない。ところがこの憲法は、自力でつくったのでないとすればどうなるか。ここで問題はふたたび、はじめのふたしかな地盤の上になげかえされる。実質的には、われわれにはいまから、この憲法をつくることしかない。現在の運動が一つの革命としての性格をもっているのは、それが実際には、この憲法をつくる運動だからだ。われわれにとっては、敗北がそのまま革命となったかのような印象がながくつづいて来た。実は、十五年間の侵略戦争の敗北の意味したものを自力でくみあげて革命のプログラムをつくり一つの運動にふみきるまでには、さらに十五年の年月を必要とした。日本で現在たたかわれているのは、実質的には敗北前に日本を支配した国家と敗北後にうまれた国家との二つの国家のたたかいである。この運動を支える思想は、国家によって保証された私生活の享受に没頭するという考え方ではなく、国家をも見かえす私というとらえ方にある。ナショナルなものの見なおしという近年の日本の論壇の傾向が、明治以後つくられた日本の国家機構の再確認という方向にゆくことなく、明治以後の日本国家機構をもその中にのみつくし消化してしまうものとしての日本社会の常民の知恵として理解されるならば、ここには、現行憲法が指さす国家批判の運動と結びつく一つの生活感情のながれ、知恵の貯蔵庫がある。明治国家と対立抗争した天理教、大本教、昭和国家と対立抗争した創価学会、日蓮宗、ホーリネスに期待をよせるのは、このような私的感情の流出が、そこに見られるからである。

この運動は、すでに進行している形においてますます無党無派のものになっている。政府側からソ連の手先、国際共産党の手先と言われている学生デモにおいてさえ、幹部がデモごとに検束されるのにおうじて、あたらしくデモの指導力となっている学生は、さらに無党無派的なものとなる。全学連だけでなく、総評も、共産党も、社会党も、国民会議も、巨大組織の幹部は指導力を失い、メンバーの感情と思想とは組織のせきをあふれて、国民的規模をもつ無党無派のながれをさしてながれている。

学生運動をふくめて、今の大衆運動は、これを書いている六月十八日までについて言えば、非暴力を特徴としている。かれらは、そのほとんど全部が素手で、武装警官にたいしている。つっこむときもおなじで、なぐられても、なぐられても、そのままつっこんでゆく。このような行動が強烈な暴力否定の精神によって支えられていることがどうして、新聞社の社長・重役、日経連の理事たち、自民党の代議士たちには見えないのか。ここには、大正時代の東大新人会の学生運動に見られたような指導者意識も英雄主義もない。無名の若者のひとりひとりの意志の表現が、あるだけだ。樺美智子の死は、このように死ぬ用意のある数知れぬ学生たちの姿をあらわしている。今日にいたるまで、岸首相も、藤山外相も、椎名官房長官も、川島自民党幹事長も、石原公安委員長も、小倉警視総監も、マッカーサー大使も、ハガティー米大統領新聞係秘書も、鉄帽・警棒でなぐりかかってくる警官たちの誰も、殺されていない。学生たちの側のみで死に、負傷してゆく。この行為のどこに暴力があるのか。国会の門をこわし、首相官邸の門をこわすのは、そこには建物だけあって民主主義国の議会も首相もいないという、新聞もラジオもつたえてくれない真実の表現であって、暴力ではない。暴力は無抵抗の学生たちにおそいかかる警官隊、そつなく答弁する大臣たちによって独占されている。うちこわしは、そうぞうしいものではあるが、ある友人の言ったように、学生の行動には「騒然たる統制」が見られる。このような統制が、全学連の指導者たちが検挙されて旧指導部のなくなった後にさえ保たれていることは、この運動が、自律的なものである証拠である。かれらによって、戦前の日本の伝統であった暗殺とテロの伝統はうちくだかれた。明白な段階を画して、日本の大衆運動は、戦前の大衆運動から数歩前に進んだ。

もう一つ、私が自分の眼をうたがうほどびっくりしたことは、全学連主流派がきんちょうした気分ですわりこんでいる品川駅プラットフォームを、六月四日ゼネストの日のあけがたUPのアメリカ人記者が平気で歩きまわっていたことだ。一九五二年血のメーデーのころ、日本共産党にひきまわされ「あの脂ぎった白鬼どもをまた海の中にたたきこめ」（『アカハタ』）と声はりあげた時代とは、まったくちがう状況を、もっとも急進的な学生たちがつくりだしたのである。アメリカ人個々の肉体を破壊しても仕方がないというしっかりした確信が、かれらに、眼の前をアメリカ人がうろつきまわっていても黙って見ていることを許している。私は、このことに、希望をもつ。

日本は、日本自身の道を世界の中できりひらくようにしたい。そのためには、まず、日本の公的政策が日本人の思想の私的な根そのものからあたらしくそだてられなくてはならない。これを根本からの民主主義（ラジカル・デモクラシー）と呼ぶとすれば、現在一九六〇年六月十八日の大衆運動がつくっているこの形を、この形のまま、日本全国にひろげてゆくことが、今の目標だと思う。この運動がすすむにつれて、昭和時代と敗戦にもかかわらず今日まで日本を支配して来た官僚主義だけが敵として孤立し、うちたおされる。

そこからどこにゆくか。このときには、アメリカにたいしても、ソ連にたいしても、自分の判断によってはたらきかけていけるような、独自のコースをゆくものとして、日本をつくりなおしてゆこう。今の岸反対の運動の果てに、日本がアメリカ圏を離れることができるとは思えない。アメリカ圏を離れて中立のコースをつくることができれば、よりよいとは思うが、アメリカ圏にとどまるほかないとすれば、その位置について、アメリカのアジア政策、世界政策に影響をあたえてゆくことができれば、それも意味がある。今とかわらぬ国際的な位置にいるとしても、はたらきかけ方がかわれば、日本の役割はかわる。このように考えることは、資本主義か、社会主義かを主要な争点としない、一種の折衷主義のプログラムである。私はここで完全な思想統一をおこなわないことを、のぞみたい。責任ある資本主義の体制のほうが、責任のない社会主義の体制よりものぞましいという判断にたって、私たちはまず、責任ある民主的な政治形態の確立をもとめることが第一だ。これは、保守的な目標のたてかたと言えよう。しかし、責任ある保守主義政権のためにも、革命が必要とされるというのが、日本の現状であり、保守的目標と根本的民主主義の方法との組みあわせの可能性をあきらかにすることが必要だ。反ファシズムの国民的規模における無党無派の運動は、このような仕方での保守主義の脱皮を一つの条件としてもっている。今度の大衆運動が敗戦直後の失敗からまなんで、だきあわせ主義を排し、まず官僚主義的独裁をたおすことをみんなの共同の目標としてすすんでゆくことをのぞみたい。そのことが、戦争反対、独占的資本主義の打倒へのもっとも確実な道だと思う。

岸首相、ハーター国務長官だけでなく、進歩的な人びとによっても、デモは、公的団体による民衆個々人のひきまわしとしてとらえられている。だが、五月十九日以来ひと月にわたってつづいているデモの思想は、共産党とか、総評とかの公的団体による民衆のひきまわしではなく、この機会をとらえての民衆の肉声の表現、民衆の私の流出である。今、見る新聞は、デモ隊の行動を国辱、国辱と呼ぶが、何が国辱なのか、理解できない。この大衆運動をとおして、日本の政治はその私的な根からあたらしく出発し、自分たちの肉声を映画やテレビをとおして世界につたえている。世界にとって、それはきくに足る何かなのだ。

（『思想の科学』一九六〇年七月号）

自立の思想的拠点

吉本隆明

1

わたしたちはいま、たくさんの思想的な死語にかこまれて生きている。〈プロレタリアート〉とか〈階級〉とかいう言葉は、すでにあまりつかわれなくなった。代りに〈社会主義体制と資本主義体制の平和的共存〉とか〈核戦争反対〉とかいう言葉が流布されている。言葉が失われてゆく痛覚もなしにたどってゆくこの推移は、思想の風流化として古くからわが国の思想的伝統につきまとっている。けっして新しい事態などというものではない。当人たちもそれをよく知っていて、階級闘争と平和共存の課題の矛盾と同一性を発見するのだというような論理のつじつまあわせに打ちこんでいる。しかし、思想の言葉は論理のくみたてでは蘇生できるものではない。いま失われてゆくものは、根深い現実的な根拠をもっているのだ。

いっぽうでは、言葉を名辞だけで固守しようとする傾向がある。そこでは〈プロレタリアート〉とか〈階級〉とかいう言葉が、言葉自体の像としてはどんな現実にも触れえない。ただの名辞として流布されている。これもまた思想のモダニズムとしてわが国の伝統のなかに古くから沈積している。こういう情況では、思想の言葉はそれに対応する現実を腐蝕させるためにあるのか、あるいは移ろってゆく現実から、名辞だけをしばしとどめるための符牒としてあるのかのいずれかになっている。

言葉が死語になるのは、語に責任があるのではなく、話し、書きとめているものと、それをうけとめるものに死が存在している象徴である。すると、わたしたちは、言葉を死の領域でしかあつかえなくなった多くの思想の、言葉を死の徴としてしかうけとれなくなった内在的な死に直面しているのだ。嘘だ嘘だとおもわずには、どんな言葉もうけとめられないし、話し、書いた瞬間から、言葉を嘘だとおもわずにはおられない失禁感があるとすれば、それがまぎれもなく思想の現状を占う深い資料になっている。

言葉の質をきめる力は、本質的には言語体験がつみ重ねられてきた長い歴史と、現にその言葉がつかわれている社会の現情況とである。思想的な死語を賦活させる力も、したがってこのふたつのなかにしか存在しない。ある言葉を言語体験のつみ重ねられた歴史のどこに位置するかをはっきりと測定すること、ある言葉が現実の情況から訣別したがっている根拠をつきとめること、処方箋はこのふたつしかない。

わたしはいま、〈プロレタリアート〉や〈階級〉という言葉だけを蘇生させようとかんがえない。それだけを切りはなして賦活させることはできないし、たんに名辞としてだけならば、現在、世界の半分のひとびとがつかっている一種の流行語でさえあるからだ。一連の思想の言葉の環のなかにこれらの言葉ははめこまれており、その環の性格のなかに、死の原因がひそんでいる。その環をとりあげることによって、まず、これらの言葉に対象的になることが、現在の思想の情況にひとつの里程標をたてるゆえんである。

各時代は、それぞれ思想の尖端をつとめる言葉をもっている。一九二〇年代から三〇年代にかけてそれは〈プロレタリアートへの階級移行〉であり、それから四〇年代にかけては〈八紘一宇〉や〈東亜協同体〉であった。四〇年代から五〇年代にかけては〈社会主義体制〉と〈資本主義体制〉の対立と共存であった。

しかし、現在、思想はどんな尖端的な象徴をももっていない。それぞれの主観のなかに小さな尖端があり、それはランダムな方位をさしているといった典型的な混乱をみせている。もちろん、それぞれの時代は、渦中にあるものにとって混乱しかないとしても、現在ほど何が去って還ることはないか、何がやってくるかを知らない喪失の時代はないのだ。どんな指導の言葉も、明日を保証されるための基盤をもっていない。

こういう時期には、名分を現実にかかわりなく固執することと、移りやすい尖端的な言葉よりも連続的にしか移ってゆかない土俗の言葉に生命をもとめようとする態度とは、同じ安易な固定化を意味している。また、移りやすい尖端の言葉を、世界のすぐあとから追いもとめることはもっとも安易なモダニズムである。わたしたちは、すでにこれらすべてを等質の態度とみなしてきたのである。

わが国では、思想の尖端をゆく言葉は短命で移ろいやすい。それを補償するように、なかなか死滅しない土俗的な言葉が地中にひそんでいる。この土俗的な言葉の百年ちかくもかわらなかった象徴を〈天皇制〉という語で象徴させることができる。わが国で思想の問題というばあい、その時代の尖端をゆく言葉の移ってゆく周期を追うことであり、その周期があまりにはやいので、一世代の人間は二〇年代には〈プロレタリアートへの階級移行〉という思想を体験しながら、四〇年代には〈八紘一宇〉や〈東亜協同体〉に移り、現在では〈社会主義〉と〈資本主義〉の対立と共存という課題にとびうつるということを一生涯に体験できるほどである。また、一つの時代の尖端的な言語が死滅するのは、思想の内在的な格闘によるのではなく、外部の情況によるだけだから、いったん埋葬された思想は、十年あるいは二十年までばふたたび季節にむかえられて新しい装いで再生することができるほどである。

この現象は尖端的な言語と土俗的な言語との交替であり、古典的な転向論のカテゴリーでとらえると、反体制思想と体制思想の同一人か別人による交換であるようにみえる。しかし、ほんとうは尖端的な言語と土俗的な言語のあいだに捩れの構造があるために、思想言語の全空間を想定し、見透すことができなかったという問題に帰せられる。わが国で、尖端的な言語をえらぶことと、土俗や農耕の言葉の永続的な流れをえらぶことが、ともに不毛であって、たんに季節のような周期に身をゆだねるほかないのは、この両端に古典マルクス主義や戦後プラグマチズムが想定しているような線型（リニアー）の媒介関係がないからである。

土俗的な言葉に着眼し、それをおしすすめて思想の原型をつくろうとしても、尖端的な課題にゆきつくことはできないし、また逆に世界の尖端的な言語から土俗的な言語をとらえかえすことができないという結節や屈折の構造があり、戦前から戦後にかけて、大衆的な課題を視界にいれようとした思想は、この不可視の結節をかんがえることができなかったために虚構の大衆像をとらえざるをえなかった。

わたしが課題としたい思想的な言葉は、この各時代の尖端と土俗とのあいだに張られる言語空間の構造を下降し、また上昇しうることにおかれている。わが国では大衆的な言葉に固執する思想は、かならず世捨て人の思想である。おなじように尖端的な言葉に固執する思想は、かならずモダニズムの思想とならざるをえないのである。わが国の古典マルクス主義の言語思想の歴史は、昭和初年以来、尖端的な言葉から大衆の言葉をとらえ、あるいは大衆の言葉が尖端的な言葉をとらえることに、〈階級〉的な課題があるかのようにかんがえてきている。しかし、よく想定すればわかるように、この方法では現実がどこかで幻想に屈折し、体験がどこかで知解に屈折するために、総体的な課題に到達しえないのである。むしろ古典的な転向論のどれもが指摘したように、土俗から尖端へ、尖端から土俗への回帰しかおこらなかった。問題の発端は、現実がどこで幻想に折れ、どこで体験が知解にかわるか、その屈折点の構造をあきらかにすることにこそあった。

戦後プラグマチズムの言語思想は、鶴見俊輔に象徴されるように、戦争期のモダニズムとしての敗北をふまえて、土俗の言葉に着目してきたが、土俗的な言語が原型ではあるがそれ自体ではなにも意味しないこと、あるいはなにも意味しないが原型でありうること、という矛盾した構造をもつことをとらええなかった。そこでは、大衆的な言葉がそのまま大衆的な思想の現実であるかのようにあつかわれてきたのである。

たとえば、

つれなのふりや

すげなの顔や
あのやうな人が
はたと落つる

（『隆達小唄集』）

こういう俗謡は、戦後プラグマチズムの言語思想からは、つれないふり、すげない顔をしていた男女が、急に相手を好いてしまった思いがけぬ男女のあいだを唄ったもので、土俗的な色恋ざたの実相がえがかれているものとなる。そしてこの庶民の色恋ざたの機微をとりあげること自体に無量の思想的な重みがこめられるのである。土俗のあいだをしずかに常住に流れてゆく情感を掘りおこすというそのことに思想の意義が発見される。何となく被支配者的であり、また何となく原型的であり、そしてこの何となくということに大衆の発生期の状態（ナッセント・ステート）と可能性が想定される。もちろんこの戦後プラグマチズムの態度は、何はともあれ、土俗の実相を実相として探り、目録をあつめなければ、何ごともはじまらないという踏み込みとして、古典マルクス主義の態度に先んずるものであった。たとえば、古典マルクス主義の言語思想からは、この俗謡には、まだ目覚めていない状態の大衆の情緒が、封鎖された色恋ざたの主題のなかにこめられて唄われていることになる。この古びたうずくまった情緒を開明的な感覚にまで変革することが言語思想の課題であるという問題意識はうまれても、俗謡自体として探るという踏み込みはうまれにくいのである。

しかし、わたしの言語思想からは、人間がしばしば、その表現と現実とを逆立していることがありうるし、人間と人間との現実的な関係のなかでは、しばしば表現は、現実にある状態と逆立したり、屈折したりしてあらわれ、その逆立ちや屈折の構造のなかに言葉の現実性があることがみちびきだされる。そして言葉は、しばしばそこに表現された言葉そのものとしてみるべきではなく、この逆立ちや屈折や捩れによって、瞬間的に視える現実性の構造から縦深的に割りだされるプロセスの累積としてみるべきことが理解される。

素っけないふりをしていた男または女が、急に相手といい仲になってしまったという表現は、はるかに人間のあいだの関係の意識が、逆立した契機をもって現実に存在していることへの認識と対応している。この俗謡が男女の関係のある機微をとらえているとすれば、ここに表現された機微なるものが、人間と人間が社会にあるばあいの普遍的な契機につながっていることを俗謡の言葉そのものが内包しているからである。

このように捉えうる言語思想は、積極的な主題の表現がしばしば現実における主題の喪失に対応したり、土俗的な言語が、しばしば支配への最短の反映路であったり、〈階級〉意識の強調が、じっさいは〈階級〉概念の紛失に該当していたりすることをおしえる。わたしの知っているかぎりでは、こうした問題にたいしてはっきりした手続きをもっている言語思想は存在しないのである。

思想的な死語が、なぜ死語でしかありえないかといえば、論理的にはこの手続きをもたず、言葉が言葉として先験的にかんがえられているからである。わたしが古典的党派性の揚棄というとき、それがプラグマチズムとプラグマ＝マルクス主義にたいする決定的な対立の形をとらざるをえないのは、わたしどもが言葉をあたかもそう欲したためにそう表現されたものとみる、これらのべったりとした機能的な言語思想の渦中にあるからである。

機能・能率・効用という近代経済学の語彙がこれらの言語思想にますます簡便化の根拠をあたえる。そして世界の社会経済の構成の変化がこの方向を裏づけているようにみえる。これらの党派的な言語思想は安心してよいであろうか？

そうはいかないのである。

社会が、ますます機能化と能率化を高度におしすすめてゆくとき、言葉は言葉の本質の内部では、ますます現実から背き、ますます現実からとおく疎遠になるという面をもつものであり、言語は機能化にむかえばむかうほど、この言語本質の内部での疎遠な面を無声化し、沈黙に似た重さをその背後に背負おうとする。つまり、コミュニケーションの機能であることを拒否しようとする。

プラグマチズムとプラグマ＝マルクス主義の言語思想は、この観念の運動の固有な面が、思想として意味するものをつかまえることができない。たんに言葉についてだけではなく、人間の観念がつくりあげることができるすべての領域にわたってこの欠陥は拡大されている。それは世界の理解にかかわっている。

2

どんな思想も、言葉によって語られ、書かれるということは、途方もなく思想のもつ位相を混乱させるものである。言葉そのものの内在的な構造のなかでは、言葉の歴史の制約から自由に飛躍して過去を断絶することはできないし、言葉はその本質の外部でそれを発したものが、いまどんな現実世界に生きているかという問題をたちきることがまったくできない。これは言葉のもつ矛盾した性格である。かれがまったく新しい世界をたずさえて言葉の表現に参加したとしても、ひとりでに言葉の歴史の現在にたっているだけだし、また、どんな密室のなかで言葉を練ったとしても、現実社会の息づかいのなかに流動している。だから欲しないにもかかわらず別の意味をはらんでしまうという言葉の性格は、かならずしも全部が個人によって左右できる自由ではない。かれは鳥のように鳴いたにもかかわらず、その声は鳩のように貫徹されるということが、現実の世界で、言葉を決定づけているのだ。

この矛盾した性格が言語思想についてのプラグマチズムと古典マルクス主義の立場を傷つけてきたことは確かである。それらは、言葉を確定するものが言葉という機能であり、言葉の概念を確定するものが社会的現実であるという、線型の等式によって言語思想をおしすすめてきたのである。その結果もたらされたものが文学・芸術の上で何であったか、思想のうえで何であったかは、多くの表現史によって確かめることができる。

G・ルカーチは、わたしどもの知っているかぎりでは、現存する古典マルクス主義のもっとも象徴的な哲学者であるが、かれの初期の優れた考察はこの問題をもっとも鮮やかに露出している。

社会的存在の客観的現実性はその直接性においては、プロレタリアートにとってもブルジョワジーにとっても「同じ」である。だがこの反面で、この直接性をば両階級の意識にまで高め、単なる直接的な現実を両階級にとって本来的な客観的現実たらしめる特殊な媒介のカテゴリーはといえば、「同じ」経済過程のなかでも、二つの階級状態のちがいにおうじて基本的に異ならざるをえないのである。

ところが、ブルジョワ思想はもう一歩つっこんだ媒介を見いだすことができないために、より具体的にいえば、ブルジョワ社会の存在と成立をば、概念化される認識総体を「産出」した主体の産物として把握できないために、ブルジョワ思想の思惟全体を決定づける究極の立場は、単なる直接性の立場となるのである。（同右）

（『歴史と階級意識』平井俊彦訳）

このスコラ的な美文を、やさしくいい直せば、現実社会というものは、ブルジョワジーにとってもプロレタリアートにとっても、おなじ現実としてあるにすぎないが、このあるがままの現実を、両方の階級の意識をもってみると、おなじ現実が異なったものとして視えざるをえない。ブルジョワジーにとっては、この社会は、まさに社会そのものとして映り、この映り方がほんとうはかれらの立場によるのだということを把握できないため、現実社会はどこまでいっても、現実そのものとしてしか視ることができない、ということになる。

このようなルカーチのブルジョワ思想についての批判の方法は、本質的にはそのままルカーチにあてはまる。ルカーチは〈プロレタリアート〉を資本制における実存の次元でとらえるのではなく、先験的な存在としてみており、その度合におうじて〈マルクス主義〉という〈立場〉を獲得しているのである。

ルカーチの先験的なプロレタリアートは、すこしも現実的なプロレタリアートを意味していない。

おなじように理念としてのプロレタリアートをも意味しない。ただの先験性しかない直接的な立場である。

ルカーチにとって〈プロレタリアート〉や〈階級〉という言葉が、現実と理念とのあいだにはさまれた先験的な、いわば書誌的なプロレタリアートにすぎないのは、言語思想としていえば、理念－表現－現実という環について、かれが哲学を欠いているため、そこだけが人間の社会的実存にたいして、無雑作になっているからである。〈プロレタリアート〉や〈階級〉や〈ブルジョワジー〉という言葉が、どれだけの手続きをふんで現実に到達するかについて、ここで、ルカーチを支配している立場は、たんなる直覚とたんなる書誌学とにほかならない。

現実のプロレタリアートはもちろんさまざまの夾雑物をもって生活している存在である。これを極端にしていえば、ある場面ではプロレタリアートであり、ある場面ではブルジョワジーであるといったことがおこりうる。ルカーチにはこの媒介概念がはじめからないから、かれのプロレタリアートは「直接性」であり、この「直接性」がかれを〈マルクス主義〉者にしているにすぎない。二〇年代以後のロシアは、この種の〈マルクス主義〉をうみだし、分娩の際に各国に種子を播いてあるいた。反省もよければ、居直りや修正もわるくないが、疑うならば全体を疑うのがいいのだ。

すくなくともマルクスは、〈プロレタリアート〉や〈階級〉をみちびきだすのに周到な手続きをふんだ。かれは、まずいっぽうで人間と自然との疎外関係を基底にして、単純な直接労働を担うものという単位から現実のプロレタリアートに到達しようとする。もう一方では、人間の観念がうみだす幻想の現実性を宗教から法へ、法から国家へと追いもとめていった。わたしの理解しているかぎりでは、マルクスの〈プロレタリアート〉や〈階級〉という言葉は、先験的でもなければ直接性でもない。人間の幻想と自然とからはさまれた媒介性としてとらえられている。

ルカーチがもしほんとうに〈マルクス主義〉者でありたければ、人間の社会的実存の自然基底と幻想の両極からマルクスがやったとおなじ手続きを、ちがった時代的現実にそくしてやることができたはずである。

〈プロレタリアート〉とか〈階級〉とかいう言葉は、ルカーチがやっているようなあいまいな手続きで、現実の社会との対応性をみつけだされるわけではない。すくなくともルカーチに象徴される〈古典マルクス主義〉がかんがえるように、「社会的存在の客観的現実性」をもんだいとしているかぎりこれらの概念はみちびきだせないのである。みちびきだせたら手品師であり、手品の種をにぎっているのは、ロシアや中共にいるとんでもないイデオローグたちである。ルカーチのいっていることをやさしく諷刺すれば、階級意識に目覚めよ、するとこの社会は階級的に視えてくるだろう、あるいは、階級社会は存在する、ゆえに人間は階級意識に目覚めるだろう、という観念の循環論であることがわかる。

ルカーチの言語思想では、〈プロレタリアート〉とか〈階級〉とかいう言葉は、歴史的な言語体験の累積として、あるいは現在の情況との連関としてとらえられていないべったりとした直接性だから、はたしてこれらの言葉がある概念としてあるのか、現実としてあるのか、あるいは抽象としてあるのか、具体的にあるものを指しているのかは、まったく理解できないようになっている。こういう疑問自体を提起することすらかれの哲学の範囲内では不可能である。

ここで、わたしたちは古典マルクス主義とプラグマチズムに共通した言語思想、いいかえれば、言語が現実にたいして直接性、あるいは直通性であるという根本思想に直面しているのである。

なぜ、ルカーチが〈プロレタリアート〉や〈階級〉という言葉にたいして直接性、あるいは先験性でしかありえないのか？

論理よりもさきに、一方では文献が、一方では心情や肉体のほうがべったりだったからだ、というような半畳をいれることは、この高名な〈マルクス主義〉哲学者にたいして礼を失するからやめることにして、あくまでも論理の言葉をつかうことにしよう。かれはロシア・マルクス主義の慣例にならって〈プロレタリアート〉や〈階級〉を「社会的存在の客観的現実性」からみちびきだそうとしたのだ。そして気の毒というよりほかないが、「階級意識」という奇妙な〈意識〉を想定したのだが、この〈意識〉たるや、もともと根拠のないものであるため、「階級意識」をもつと、この社会の「客観的現実性」が、階級的に視えてくるのか、あるいはこの社会の現実を本来的にみてくると、視るものに「階級意識」がうまれてくるのか、ようするに鶏が先か、卵が先かわからなくなってきたのだ。じじつルカーチはさきの論文で「適切な正しい意識がその客体の変革を、なによりも意識それ自体の変革を意味するということにあるのである。」と書いている。

わたしは家系のないことを誇りにしているので、古学派的にふるまうのが好きではないが、このばあい必要なので言及する。マルクスは〈プロレタリアート〉や〈階級〉をみちびきだすのに、社会的人間と経済社会の構成とのあいだからはじめる直接性から出発していない。かれは周到にも、人間と自然との相互規定性という媒介と、宗教・法・国家というような、社会的人間の幻想的な疎外の性格という媒介をもうけ、その両端からおもむろに人間の社会的な存在の像を浮かびあがらせている。じじつ、このような媒体がなければ〈プロレタリアート〉や〈階級〉は、思想の言葉として成立しないのである。

「社会的存在の客観的現実性」としては、人間はたかだか無数にちがった境涯にばらまかれた知識や貧富や地位やらのちがいとして存在し、このちがいによってさまざまにちがったかんがえをもち、幻想をうみだしているだけである。プロレタリアートもある場面でブルジョワであり、ブルジョワもある場面でプロレタリアートである。都市民と農民だけが自然との関係で普遍的な位相のちがいとして存在しているにすぎない。Aという人物にとってBが社会的特権人であるように、BにとってCは社会的特権人だという関係しかない。ルカーチのいうようなところでは無数にちがった社会の意識がばらまかれているだけで、〈プロレタリアート〉も〈階級〉もないのである。そしてただ無数の層の共同性があるといえるだけである。

こういった思想言語の一連の環については、わたしたちはじつにたくさんのいかものを文学や芸術から政治思想にわたって喰わされてきている。現実に体験しているものをよく観察したところと、理念として喰わされている悪食とをひそかにおもいくらべて驚いたことがないものはまれであろう。〈プロレタリアート〉や〈階級〉が、思想の言葉として成立するためには、どうしても宗教から法へ、法から国家へというような幻想の歴史が媒介として論理のなかにはいってこなければならない。

まず宗教が人間にとって絶対者である神の意識を幻想的にうみだしたとき、この幻想と人間との関係は、無限なものと限りあるものとの自己意識のなかでの二重性になってあらわれる。これは祈りやお告げによって、あるときは人間が無限なものになりたいと願い、あるときは無限なものへの祭拝となってあらわれる。そして、このような自己意識の内部での無限と有限との葛藤は、現実の社会では他の人間との関係となってあらわれるほかはない。人間は他の人間になりたいと願ったり、お告げをうけたいと祈ったりするのである。

こういう宗教の意識は、もし人間が動物にちかいように、食べたい自然のものを食べたいときに食べて生活することができなくなり、すこしでも社会を構成して利害を共にするほかに生活してゆけなくなるまでになると、はじめはただ能力の大きいものと能力の小さいものとの優劣関係しかなかった人間の社会構成が、この宗教の意識にたいして現世的な利害を対応させるようになるのである。こうなれば宗教は掟（法）の意味をもたざるをえなくなる。そして法は、じぶんが住みつくことができる人間の社会の構成をかぎってゆく。それは国家の原型のもんだいである。

このように人間の幻想的な疎外が、しだいに現世的になってゆき、はじめはたんに幻想の自己意識の内部での表出であったものが、現実につくっている社会の生活の関係と対応するようになって、はじめて幻想的な理念であるとともに、現実をも象徴するような言葉が生きることができる。〈プロレタリアート〉とか〈階級〉とかいう言葉は、このような幻想の歴史と「社会的存在の客観的現実性」とが、二重に関与しないかぎり成立しないのである。そしておなじように、言葉は幻想の表出と現実にむかう対応性という二重化された象徴として言葉なのであって、ルカーチの思想言語がかんがえているように、またプラグマチズムが主張するように、「社会的存在の客観的現実性」との対応や指示によって言葉なのではない。〈プロレタリアート〉とか〈階級〉とかいう理念の言葉が、生命をふきこまれるためには、この言葉の現実にたいする水準と、幻想性にたいする水準とがはっきりと確定されていなければならない。ルカーチに象徴される古典マルクス主義の哲学では、はじめから生命をふきこむ余地がない言語思想が支配しているのである。

わたしが、これはおかしいこれはおかしいと感じながら批判的にかかわってきた世界思想は、事実と言葉との密着という詐術によってしか成立しないものであった。これに気づいたとき、欠陥を対象とすることは、たとえ批判または否定であってさえも、対象的欠陥にしかすぎないことを体験的にしったのである。すくなくともわたしの言語思想が自立の相貌をおびて展開されたのはそれ以後である。マルクスの思想は、わけ入ればわけ入るほど、古典マルクス主義とちがった貌をしてあらわれてくる。このことは、多くの古学派的な思想家が気づいて指摘しているところである。ただ古学派的な思想は、祖を離れて祖に帰るという認識の運動を踏まないため、多くが解釈の学にとどまっており、そのために思想的な拠点をつくりあげることができなかったのである。

不毛な思想的対象にかかわりあい、それを補完しようとして対象的不毛に達しているひとつの例としてJ・P・サルトルの思想をあげることができる。

J・P・サルトルの近著『方法の問題』は奇妙な矛盾をふくんだ書物である。そこでは、まずマルクス主義とはかくかくのものであるというカテゴリーが無意識のうちに対象的につくられていて、その哲学を前提として区切りながら実存主義的思想の自律性がたもたれる所以が論証される。〈マルクス主義〉はサルトルによって語られるかぎりでは、ルカーチ的な物化の理論をさしており、サルトルはこの物化の理論を実存主義によって補完しようとするために、大著をさしむけている。サルトルの思想は、ここでは〈マルクス主義〉に随伴する影となり、〈マルクス主義〉が、いいかえればロシア・マルクス思想が消滅すれば消滅してしまうのだ。もちろんこの消滅は、〈階級〉の消滅とは関係なしに、特殊化された理念の消滅として起こりうるものである。

サルトルは、西欧のマルクス主義思想に絶望して、その欠陥をみずからの理念でおぎなおうとかんがえる。かれは善意であり、そしてすくなくともここでは駄目なのだ。けっして〈マルクス主義〉自体に疑問を投げかけないし、その根柢を掘りかえそうとしない。対立手はルカーチでありルフェーブルであって、方法そのものではない。

サルトルの言語思想が、〈マルクス主義〉に随伴する思想としてしか成立しないのは、思想的に臆病だからでもなく、マルクスを理解しないからでもなく、またかれ自身がいうように〈マルクス主義〉が歴史的であり構成的でもある可能性をもった、現存するただひとつの人間学であることを尊重しているからでもないとおもえる。

かれがまず自分の手でつくった〈マルクス主義〉という皮膜が強固であるために、メスがその骨髄にとどかないのである。

なぜ、サルトルの言葉がつくりあげた〈マルクス主義〉が強固な皮膜をもっているのだろうか？そこには、サルトルが目撃し、体験した歴史が息づいている。第二次大戦で、何はともあれナチズムと対抗し、これの支柱となりえたものはあの奇怪な〈マルクス主義〉の変態であるスターリニズムであり、サルトルはすくなくとも同意しなくても加担したのである。サルトルにとってどんな欠陥もこの支柱自体を疑うほどに大きくはないとかんがえられたとしても当然であった。

ナチズムと天皇制に屈伏し、合流した必然をもつ〈マルクス主義〉の日本的変態を目撃してきたわたしどもの言葉が、サルトルと異なり、サルトルの欠陥をそこにみることができるのも当然ということができる。サルトルの言葉はわたしどもの言語思想からは、その支柱の一つを欠いている。サルトルの言語思想は、言語体験の歴史的な累積について自覚的ではなく、無条件にそのうえにたって思想を展開できるという幸運な文化の位相にあるため、言葉が生命をふきこまれるために必要なひとつの与件を省略することができている。この省略は、かれの思想を無意識のうちに〈マルクス主義〉の物化の理論とおなじ水準に運んでいるのだ。サルトルにとっては、現存している西欧の言語思想の尖端である〈マルクス主義〉を、さらに尖端化しようとする試みが思想の行為でありうる。この試みが、そのまま現存する世界の尖端であるという課題において、サルトルは先験的なのだ。自然な知識的な課題のいとなみを、世界が尖端と認めてくれる位相にあるため、自覚や乖離や危惧は、サルトルの思想的な試みのなかに不要であり、きわめて当然の貌をすることができている。この位相を理解するには、知識についてしめす寛大さが、寛大さとして他者にうけとられるかどうかを意識する必要のない富者、という比喩をおもいうかべればよい。わたしのかんがえでは、すくなくとも、〈マルクス主義〉を補完しようとする際だけは、サルトルのスコラ的な論議は、この位相に由来する不毛さをしめしている。

わが国では、まだ信ずべからざるものを理念として信ずるという牧歌が知識人のあいだにのこっている。この世界の尖端にある課題は無条件にすべての地域にとって尖端的であるという遺制も現実もある。しかし、ひとたびこれにとらえられるとき、観念の生活と現実の生活のあいだに、とうていサルトルなどが自覚しなくてもすみ、意識しなくてもすむような緊張の構造がつくられる。そしてこの緊張した結節点で屈折や乖離を感じるとき、大衆の貌が、つまり土俗の言語が登場してくる余地がある。この大衆の貌は〈プロレタリアート〉ではなく土俗としての大衆であり、また〈階級〉としての大衆ではなく支配に直通することができる大衆の貌である。わたしたちがナショナリズムとよぶものは、この尖端的な言語思想とともによびおこされ、それをひきもどそうとする土俗的な言語思想をしか意味しない。

サルトルにとって古典マルクス主義の実存的な深化が課題であるとき、あたかもこの課題を斜めに過ぎるような課題をわたしたちによびおこすのは、この土俗的な言語思想の影である。そしてたとえ思想の空間としてここ四十年の歴史を失おうとも、サルトルにはけっして気づかれない古典マルクス主義の欠陥をわたしたちに気づかせるのも、この斜めに過ぎるものの影によってである。

わたしが世界の尖端的な言葉についてかんがえようとするやいなや、古典マルクス主義の大衆概念の四十年の歴史なしに、大衆の言語思想をまねきよせ、それを土俗の言葉として考察することができる。サルトルの思想は、たんに尖端的な知識人の思想でしかない。しかしわたしどもが知識人であろうとすれば、必然的に土俗的な大衆の思想をくりこみ、投影せざるをえないのである。このように投影される大衆の影が、古典マルクス主義のまねきよせた大衆の像と、どれだけかけ離れているか、どれだけ一致しえないか、どれだけ逆立するかという課題こそが、わが国の四十年来の転向・戦争・戦後のあらゆる思想的な中心の課題であった。この中心的な課題を、たんに世界史の尖端から流れくだる理念にとびうつって、進歩と反動との交替する波形、あるいはファシズムとデモクラシーの交替する情況として理解しようとしてきた、〈マルクス主義〉と〈プラグマチズム〉の日本的な形態は、たとえわたしの批判をまたずとも思想的な意味をなさないのである。それらは、ただ交替する現象でしかない。

わたしたちが、現在、サルトルのように古典マルクス主義の実存主義的な深化ではなく、古典マルクス主義の提起した基本的な言語である〈プロレタリアート〉、〈階級〉、〈党派性〉などを根柢的に掘りかえす作業を強いられている根拠はこの点にある。サルトルにとって現存する尖端的な言語（古典マルクス主義）の尖端化（実存化）が課題だとすれば、すくなくともわたしにとっては、尖端的な言語と土俗的な言語とのあいだでつくられる緊張した屈折や乖離の構造を、はせ昇りまたはせ降ることができる言語思想（自立化）の発見が課題とならざるをえない。

柳田学が膨大な資料を集積し、戦後プラグマチズムと古典マルクス主義の部分が模倣しているように、土俗的な言語をどれだけ集積し、どの観点からとりあげようとも、わが国ではけっして尖端的な言語思想の課題にゆきつくことはできない。おなじように、かれらが試みている尖端的な言語から土俗の言語へはせ降り、これを大衆思想あるいは思想大衆化の課題とすることはできない。わたしどもの言語思想からは、尖端的な言語のたゆみない追求が必然的に随伴し分離してくる土俗的言語にだけ所定の思想的な意味がかんがえられるのである。

いうまでもなく、このわたしどもの言語思想は、古典マルクス主義とプラグマチズムが提起した全思想領域に拡大することができる。思想的対立の主戦場はいたるところに存在しているのだ。

3

わが国の政治思想史の文脈をながめてみると、おおすじのところで、講座派の思想は共産党に流れてゆき、労農派の思想は社会党に流れてゆき、これらの変態である社会ファシズムの思想は、このふたつの党派に分配されていることがわかる。いわゆる超国家主義の思想だけが右翼的な諸形態をとって潜在していることがよく了解される。そしてこれらの古典的な党派をわかった分岐点は〈天皇制〉の問題にほかならなかったといいうる。

わたしたちはここで古典的な党派性を棄揚するもんだいに当面するとともに、国家論のもんだいに〈天皇制〉の問題はなぜ過去をなやませ、なぜ奇妙な独特の脅威と吸引力をもってすべての古典的な党派性の概念を混乱させたのだろうか？

ゆきあたっているのである。

よくしられているように、過去に、講座派と労農派のあいだで近代日本の国家権力の性格についてはげしい論争がかわされ、その論争はそのままかれらの党派をわかつものとなった。さまざまなニュアンスのちがいはあっても、講座派によってとらえられた近代国家の像は、明治維新いらい天皇制絶対主義の性格をもちつづけながら、ブルジョワジーの興隆とともに、地主とブルジョワジーの両端の利益を代表するものに転移し、それ自体が絶対主義としての独立性を保ちつづけた権力であるとされた。労農派によってとらえられた近代国家は、明治維新によって成立した天皇制絶対主義が、ブルジョワジーの興隆とともにさまざまな遺制をのこしながらも、ブルジョワジー国家権力に転化されたというものであった。

この論争は、日本資本主義論争とよばれているように、農業構造と産業構造のもんだいが微にいり細にうがって論ぜられ、もはや講座派と労農派の見解は、色をひとつくわえるかくわえないかで連結しているプリズムのような観を呈するにいたった。きみはどれを択ぶか、色見本はよりどりみどりだといった見解の標本ができあがったのである。

いうまでもなく、この論争は国家権力の性格を、経済社会構成と対比させようとする点で一致しており、その点でまさに致命的な欠陥をもつものであった。わたしたちは何らかの意味で、マルクスの方法がここにあるかのように錯覚し、まだ若年でみずから創造する能力のなかった戦後のある時期に、この愚かしい論争を追体験したのである。内心では、天皇制近代国家は、こんな単純なものでも、こういう馬鹿げた方法で包括されるものでもないという疑念をもち、それゆえに戦争責任とはなにか、戦後に生きる課題とはなにかを、自らに提起せずにはおられなかった。そしていま、やっとこれらの論争の基本的な性格を批判する視点を獲得することができたのであり、葬送の歌をあたえる段階に到達したのだ。

講座派や労農派によってとらえられた〈国家〉は、いわば社会的国家であって、国家そのものではない。そして、この社会的国家はそのまま政治的国家と等記号でつながれていたのである。この論争は、近代日本の経済社会の構造についてさまざまなことをあきらかにしたが、ついに天皇制国家の本質、その実体をあきらかにすることはできなかった。

これらは、ロシア・マルクス主義のひそみにならって経済社会構成を、階級的な構成とかんがえ、この階級的な構成の上層によって占められた国家権力を想定して、これを国家そのものの本質とみなした。

ここにはふた色の錯誤がある。

さきにものべたように、経済社会の構成に着目するかぎり、そこでの〈階級〉はたんに個別的なものにすぎず、ただ都市と農村のちがいだけが普遍的な意味をもちうるにすぎない。そこでは、より権限あるものとより権限なきものとが社会的地位によって無数に区別されるにすぎないのである。

国家権力は、経済社会構成の上層に地位を占めるものがよりあつまってつくられるものではないから、社会的国家に公的権力が存在するのではない。社会的国家は、法によって政治的国家と二重化されるとき、はじめて権力をもち、普遍的な〈階級〉のもんだいがあらわれる。それゆえ、国家を宗教から法へ、法から国家へと下降する歴史的な現存として考察しないかぎり、国家の本質と、そこからうまれる権力の総体はとらえることができないのである。

当時、おぼろげながらもこれに気づき言及したのは、神山茂夫の戦時下に書かれた『天皇制に関する理論的諸問題』だけであった。「だが、世界に類例のない日本憲法の真の秘密は、その近代的粉飾にもかかわらず、その根本思想が氏族的古代的精神によって貫かれているところにある。」というように。

神山茂夫の限界は、レーニンの『国家と革命』の特殊機能化された国家論の限界内にあり、三二年テーゼの限界であった。

日本の古典マルクス主義によってとらえられた天皇制国家は、当然ながら、世襲的な祭司であり、儀礼主宰者であり、原始シャーマン的宗教信仰の対象であることによって、近代思想として思想的強力でありえた天皇制国家の理念権力としての強大さと特殊さをとらえることができなかった。それは、宗教・法・国家の古代からの累積された強力を保有することでもちうる権力性を、国家本質内の本質としてとらえる方法をもたなかったからである。

明治憲法の第一条が「大日本帝国ハ万世一系ノ天皇之ヲ統治ス」とうたったとき、政治的国家としての天皇制は、宗教と法の歴代の累積する思想的強力をもふくめた綜合性を意味したのである。この近代日本の国家本質を、たんに、経済社会構成から類比しようとする古典マルクス主義の方法は、何よりもわが国の国家論でもっとも欠陥をあらわにしたということができる。

社会的国家の概念からは、天皇族はたんに大土地と財産の所有者であり、その所有の程度におうじてブルジョワ的な社会的特権力をもっているにすぎない。しかし、政治的国家の概念からは、古代以来の宗教と法の理念を綜合する権力を意味した。この国家の独自な性格は、すくなくとも講座派や労農派によっておこなわれた資本主義論争の範囲をまったくこえるものであった。

法・国家というものは、何らかの意味で人間の観念が無限の自己としてうみだした宗教が、個別的なものから共同的なものへ転化され、それによって社会的国家の外に国家をうみだしたものである。信仰がもっている憧憬と戒律の二重性は、それゆえ法や国家の本質につきまとっている。

国家本質の内部では、国家は宗教を源泉としている。この国家本質は、そのまま矛盾なしに社会的国家と接続したり、対立したりすることはありえない。一般的にいって国家の成立ということと、経済的社会構成が国家を成立せしめるまでに発展したということは、まったく別問題であることを、古典マルクス主義はとらえることができなかった。講座派や労農派がつまずき、いまもその流れをくむ古典マルクス主義がつまずいているのはその点である。

　宗教が人間にとって無限の能力でありたい願望として外にあらわれ、それが現実には有限の能力である人間におおいかぶさる強迫と憧憬であるとすれば、共同的な宗教である法や国家が、「万世一系ノ天皇」にまで近代理念として累積されたとき、これを信仰思想の対象としてかんがえる理念がうまれるのは必然であった。ここに近代日本に特有な超国家主義がうまれる基盤があったのである。超国家主義が丸山学派がいうように、論理と心理と病理のもんだいでもなければ、古典マルクス主義がいうようにファシズムの問題でもないことは論をまたないことである。

　超国家主義は、北一輝や大川周明に象徴されるように、天皇制軍事社会主義から、権藤成卿や橘孝三郎に象徴されるような天皇制農本主義にいたるまで、さまざまな形をとって出現した。この思想的な形態は、経済社会構成と類比される意味でとらえられた絶対主義やボナパルチズムの概念の水準でとどまれば、とうていとらえることができないものであった。自然宗教の幻想が、現世に降ってゆくばあいの思想的強力がはらむものを国家として考察することなしには、とうていつかみえない思想力をうみだしたのである。

　超国家主義の思想は、国家本質の内部では、西欧の近代国家のなかで、キリスト教的な急進社会主義や、クエーカー教的な共同主義が成り立つのとおなじ位相でとらえられる面をもっている。ただ、西欧の宗教的な社会主義が究極には個人の信仰の理念に収斂するほかないように、超国家主義は、究極的には天皇を超越的にいただく自然的な共同体の観念に収斂するほかはなかったのである。プロテスタント主義と資本制とを結びつけて考察するM・ウェーバーを評価することを知っている丸山学派が、超国家主義を反動の論理と心理のもんだいにしか還元できなかったところに、その国家理論のモダニズムの不備がよこたわっている。

北が天皇制を逆手にして資本主義を廃絶しようとする方策をあみだし、権藤成卿が天皇制国家権力と反国家権力としての農村共同主義を折りあわせようとして〈国家〉と〈社稷《しゃしょく》〉というふたつの概念をあみだしたというようなことは、古典マルクス主義がかんがえるよりもはるかに深刻な意味をはらんでいる。なぜならば、国家本質論の内部では、キリスト教社会主義の存在を認めるならば、天皇制社会主義も矛盾なしに認めねばならないという側面を、超国家主義はもっていたからである。講座派や労農派が天皇制国家の把握に失敗したのは、宗教的な疎外の累進した共同性として法・国家の本質をつきつめるという面が欠落していたからであり、丸山学派がこの把握に失敗しているのは、国家本質論をもっていないうえに、古典時代のリベラル・モダニズムの戦争体験を刻印されていたからである。

制度の変革は、さらに端を改めて詳説せねばならぬが、制度がいかに更改されても、動かすべからざるものは、社稷の観念である。衣食住の安固を度外視して、人類は存活し得べきものではない。世界皆な日本の版図に帰せば、日本国といふ観念は、不必要に帰するであらう。けれども社稷と云ふ観念は、取除くことが出来ぬ。国とは、一つの国が、他の国と対立する場合に用ゐらるゝ語である。即ち世界の地図の色分けである。社稷とは各人共存の必要に応じ、先づ郷邑の集団となり、郡となり、都市となる。その構成の、内容実質の帰着する所である。各国悉く其国境を撤去するも、人類の存在する限りは、社稷の観念は損減を容すべきものでない。（権藤成卿『自治民政理』）

ここでいわれている「国」が政治的国家にあたっており、「社稷」が社会的国家を意味することは、たやすく類比することができる。権藤の政治思想の範囲では、「国」のなかに天皇制が住みつき、「社稷」のなかに農民の共同体が住みついていた。権藤が平等な農民の共同体のようなものを構想しながら、超国家主義一般のなかに姿を没してゆかねばならなかったのは、かれのいう「社稷」が、矛盾や逆立なしに「国」の概念に到達しえないことを洞察しきれなかったためであった。すくなくとも権藤は古典マルクス主義よりも一歩ふみこんで〈階級〉の概念が発生する基盤には着眼したのだが、政治的国家と社会的国家を二重の屋根のようにかんがえたのである。権藤がもしも、郷邑の集団となり、郡となり、都市となるとかんがえた「社稷」を、そこに抽出される約定（法）の面で把握していたとすれば、これらもまた小さな〈国家〉と〈社稷〉に分立していることを洞察しえたはずであり、「国」と「社稷」は二重の屋根ではなく、現実の生活と幻想の生活とが法によって対立する法国家本質であることをつかみえていたはずである。

純思想的に問題をあつかうとすれば、古典マルクス主義の近代天皇制国家論は、近代主義と社会ファシズムまでをその範囲にひきよせることができた。しかしその方法がどうしてもとりのこした空洞は、超国家主義をうみだすほかはなかったのである。

いうまでもなく、わたしたちの思想情況はいまも、思想を識別するのに古典的党派をもってし、個々人の心情的なさわりを進歩派とか保守派とか呼びならわす常識のなかにいる。しかし、すべての常識的な思想の党派のなかでは、かれがもっとも憎悪するのは、かれのもっとも近い隣人であるという原則しか実際は存在してはいないのだ。現在の情況は、ますますこの自己欺瞞の構造を追いつめ、ひとびとが鳴り物入りの党派にみている虚像は、ますますその実体から遠ざかっているのである。わたしが古典的な党派の理論を批判するとき、それは同時にこれらすべての党派性を対象化しようとする課題によってであり、けっしてかれらのように古典的超国家主義を思考の範囲からとりこぼしたり、回避したりする方法をえらばないのである。超国家主義は、純然たる国家理論の問題である。

4

わたしの思想言語からは、ナショナリズムという概念は、世界の尖端的な思想の言語を課題とするときに必然的に伴われる土俗的な思想の言語という以外のどんな意味ももちえない。それは思想が不可避的にともなう象徴ではあっても、けっして積極的な契機ではありえないのである。世界史の尖端的な課題を思想的に提起しえないかぎり、ナショナリズムの問題も発生しうるはずがないのだ。

ここ一、二年のあいだに、わが国でおこなわれているナショナリズムの論議は、これとはまったく質がちがっている。それらは、日本資本制国家を前提として恒久化したうえでおこる政治的な、あるいは経済的な、あるいは思想的な技術問題は如何という意味しかもっていない。そこには尖端的な思想の言葉にとりつこうとする緊張がないから、土俗的な課題もともなわれることはなく、日本資本制国家の資本制の性格一般のもんだいがあるだけである。そこには超国家主義がもっていた衝撃力もなければ、古典マルクス主義がもっていた先験的な政策論の大だんびらもひらめかせる余地はないのである。

わたしたちは、ただ思想の風流としてのナショナリズム論議に当面しているだけである。そしてこの単なる風化にすぎないものが、近代主義やプラグマチズムの機能的な衣裳をつけているところにほんとうの問題があらわれている。

つまらぬ進歩派が、反動の復活であるかのように大さわぎしている林房雄の『大東亜戦争肯定論』で、わたしがもっとも失望したのはこの点であった。戦争期に林房雄がもっていた思想の遠心力は、ここではすべて喪われ、風化した近代主義の変態にかわっている。林房雄が戦争期に「勤皇の心」などでもっていた超国家主義の緊張と軋みと弾みはあとかたもなく、ただ近代日本の国家についての解釈のちがいが、もともととるにたりない学者の論議を相手に小股をすくう形で展開されているだけである。

林房雄の論旨は、講座派と労農派によって性格づけられた明治維新論への疑念から端を発し、西欧列強の植民地化政策にとりかこまれて一国資本主義の建設を強いられねばならなかった近代日本国家の擁護をモチーフとして、一路太平洋戦争にいたる全過程を必然とみなしているものである。これを反動の復活として批判する進歩派は、ロシア革命に端を発して、帝国主義列強にかこまれて一国社会主義の建設を強いられねばならなかったソ連の擁護をモチーフとして、第二次大戦後の「社会主義」

圏の成立にいたる全過程を必然とみなすモチーフに貫かれている。たしかに、このふた色の見解は、一方が明治維新による近代日本国家の成立をみとめるかぎり、また一方がロシア革命による一国社会主義の成立をみとめるかぎり、前提として成り立つにはちがいないが、成り立つという以外にあまり正当性をもたないことは論をまたない。わたしたちが、わが国における思想的な流行の転変にどんなに不感症になっていると仮定しても、こういった〈進歩派〉と〈反動派〉との対立の仕方には食欲を感ずるわけにはいかないのである。戦後二十年、無駄飯を喰ってきたわけではないから、わたしどもは、それ相当の思想的な美食家になっているのだ。

ナショナリズムの論議において、わたしたちはつまらぬ思想の葛藤をみせつけられているのだ。戦後二十年のあいだ国家理論ひとつ創造しようとせず、ロシア・マルクス主義の国家論を口まねしてきた怠惰と追従主義が舞台を退くべき間際に、戦後二十年のあいだ冷飯を喰ってきたが、冷飯の味から何も学んではこなかったものから追いうちをかけられているといった、わが国の思想にとってはありふれた芝居をみせつけられているのである。罰は両者がともにうけるべきであり、わたしはいずれにも加担する必要をみとめない。

わたしの思想的なモチーフのなかでは両者はともに冥界に入っており、ただこれらを棄揚しうることにだけ思想の責任を負っている。

擬実証的であり擬理論的である思想の交替はいつも心理の帯域のなかでおこなわれる。思想が心理的にみられるかぎりでは、一朝にして目覚めれば、この世界は変って視えるということはありうるのである。現在の思想情況では、真の行動家たちはすでに堕ちるところまで堕ちてしまっている。そして行動家たちは、思想によって立っているだれにも非難されず、かえってこれを非難する根拠をいつも手にもっているものである。よくたたかいえないものがよく崩壊しえない姿勢を空疎につらぬいているというように。そしてこの論理は、だれでもが行動家であるときいだきうるものである。

こういった思想の季節におこなわれている現在のナショナリズムの論議はすべて心理の帯域の問題にすぎないことをはっきりさせておくべきである。そこには世界の尖端に位する思想もなければ、生まれ、その土地を離れずに生活し、どんな思想的な音もあげないかわりに、他人の思想事など何の関心もないといった大衆の閉ざされた土俗性の思想もない。

林房雄の『大東亜戦争肯定論』がつまらないのは、おおくの進歩派がかんがえているように、赦すべからざる戦争犯罪的なかんがえが復元しているからではない。そのモチーフが、現在すでに戦争はどのような立場からも悪であり、平和こそ何にもましてつらぬかるべきものであるという立場に安堵した上で、その戦争の終曲である太平洋戦争にいたるまでの近代日本の国家行動を必然として考えようとしている点にある。そこには戦争挑発の声もない代りに現況を否認しようとする衝撃力もなくなってしまっているのだ。この論議が、限られた政策言語の範囲で進歩的であるにすぎないくだらぬ進歩派しか憤らせることができないのはそのためである。

すでにわが国の社会情況は、思想の言語が中間的な帯域のなかでしか流通できなくなっている。世界史の尖端にわたりあう緊張した言語も土俗の奥深くひそんでいる言語も、どんな意味でも公共の場に貌をだすことができなくなっているという認知こそが、現在重要である。すでに思想の世界そのものが、それを好まなくなっており、それに触れるものは、ただ障害しか与えられなくなっている。

わたしどもの戦後の過程は、土俗的な言語を切開しながら尖端的な言語思想に到達しようとする試みであった。そしてこの過程に切開するべきたくさんの結節の構造を発見することが戦後のいとなみをなしてきたのである。

この立場は、尖端的な言語思想をそのまま拡大させて、〈社会主義〉国家同盟と〈資本主義〉国家同盟の対立と共存という思想につくことによっても、土俗的な言語思想を貫通させて、明治以後の近代天皇制国家の軌跡を「肯定」することによっても獲取されないものである。そして、おそらく、尖端的な言語と土俗的言語のあいだの結節を流通させる方法を発見することによってはじめて可能な立場である。いいかえれば、近代天皇制国家権力の本質と実体とを、普遍言語をつかって現実的に位置づけることによって、まず思想的な階梯がふみだされるはずである。

国家をとらえるために、経済社会の構成からとらえようとする方法は、講座派・労農派いらいの古典マルクス主義と、戦後プラグマチズムにとって共通のものである。もし、思想の正誤表をつけねばならないとすれば、戦後プラグマチズムの国家論は、もっとも多量の朱線を入れられねばならないだろう。そして、もしかすると歴史の時間の縮尺に誤認があるばかりではなく、人間の存在もそこでは縮尺に入れられているかもしれないのである。

わたしたちは、確かに戦後はるかな歳月を歩んできた。はじめに、ひそかな共感をよせることができる思想的なモチーフから出発したものたちも、いまではほとんど了解を拒絶するような地点までへだたってしまっている。かつて敗戦が不可解な思想の様相をかいまみせたように、いま、わたしの思想のモチーフのもっとも真近かから出発したものが、どんな絶望をも表白することなしに、戦後の資本制国家の軌道を恒久化したうえで、あれこれの処方箋を嬉々としてカプセルにいれているのをみるのは、もっとも不可解である。この不可解さのなかに、はるかな歳月がかくされている。

上山春平の『大東亜戦争の意味』は、戦後プラグマチズムの国家論を象徴するとともに、わたしに、戦後のはるかな歳月を感じさせる書物のひとつである。了解の可能な領域から了解を拒絶する地点へ歩み去ってゆくおなじ世代の袂れを、これほど鮮やかにみせてくれるものはない。かつて時代が国家を神にまでおしあげていたときも、国家はわたしたちの年代にとって関心の対象であった。国家の信仰が死滅しなければならなかった戦後の道程でも、国家はわたしたちの関心の対象であった。いま、わたしたちの年代の距離のおおきさは、おなじように国家をめぐって確かめあうことができる。

上山春平によれば、人類史の総過程は、農業社会と、それ以前の自然社会とそれ以後の産業社会とに区分される。自然社会から農業社会への移行期に、血縁共同体が国家と地域共同体に分化し、現在進行中の農業社会から産業社会への移行期には、主権国家の機能が国際機構と非主権国家とに分化するだろうというのが、そこで展開されている原理的な国家観である。そして、この原理から自衛隊の職能代表による管理機構や、全人民の自衛隊への参加義務が論ぜられるのである。

上山春平の国家論は、べつにあたらしいものではなく、F・オッペンハイマーの国家論などによって、わたしたちがかなりよく知っている考え方に類似している。けっして戯画的なものではなく、ともすれば、人類の社会を、主要な生産の様式にそくして、自然社会・農業社会・産業（工業）社会というように区分けして、発展段階の総体をおさえようという誘惑は、プラグマチズムの思考方法としてさけがたいものだということができる。そして、この千年を尺度としてかんがえられる社会の段階に、共同体の体制の変貌を対応させたいという意図も、意図として了解できないものではない。なぜならば、そのような巨視的な尺度で人類史を区切れば、確率からいっても、共同体の変貌が、おおざっぱな対応性をもつとかんがえられるのは当然だからだ。だが、このような論議は、それ自体が百年以内を尺度とする人間の存在の現存性にたいして現実的な意味をもちえない。

だが、わたしがここで関心をもつのは尺度ではなく、その国家論の批判である。

ここでかんがえられている〈国家〉は、じつは、社会的国家であって〈国家〉そのものではない。人類史がうみだしていった〈国家〉は、もともと上山春平のいうような社会的機能としての共同体という権限を超えたところで、はじめて〈国家〉としての本質を結んだのである。社会的機能の範囲でかんがえるかぎりは、〈国家〉そのものは問題にふくまれず、ただ拡大した職能共同体の問題があるだけである。〈国家〉は、社会の共同性が、法によって政治的国家、いいかえれば職能的な機能を超え、これと矛盾する法的理念として結晶したときはじめて〈国家〉とよばれるのである。だから「主権国家」という言葉がつかわれていても、ここでとらえられている国家は、職能的な機能が大規模に発展したものという意味しかもたず、〈国家〉そのものが、はじめから上山春平の思考には存在していないのである。

上山春平は、しばしば、マルクスから影響をうけたと書いているが、そのばあいマルクスは、『資本主義的生産に先行する諸形態』に代表されている。この著作の時間的尺度も考慮されていないし、マルクスの体系のなかでの位相もかんがえられていない。マルクスは、この著作で国家論をまったく度外において、生産様式の歴史性についてのみ触れているということも忘れられている。

〈国家〉とそれに先行する国家、いいかえれば宗教・法・国家は、その本質の内部では社会の生産の様式の発展史とは関係がないのである。それはそれ自体の発展の様式をもっている幻想の共同性の発展である。また幻想的な疎外の特殊性から一般性への発展であり、わずかにその本質の外部で社会の経済的な構成と、無数の環によって対応させて考察することができるにすぎない。それゆえ、自然社会・農業社会・産業社会という発展を、国家の起源から国家の国際機構への統合と結びつけてかんがえる上山春平の思考法は、それ自体が誤解であり、その誤解はとうぜん国家ではなく社会的共同機能の国家的な規模を、国家と考えちがいするところにゆきつくほかはないのである。

上山春平が、サルの社会と人類の社会を連続としてとらえているところにはっきりとあらわれているが、幻想を幻想の共同性の意識として表出するという人間のみに特有な幻想性の発展の仕方という視点をもたなければ、社会の生産様式を考察できても、〈国家〉を考察することはまったくできないのである。もちろん国家の先行形態は、はじめからサルの社会とは無関係なのである。このような誤解は、上山春平のばあいには、さまざまな学説を、つづれ織のようにとりあつめてじぶんのかんがえに組立てるという作業の結果としてあらわれているが、この誤解の根源は、もっと根深いところにみつけることができる。それは、現在、古典マルクス主義のすべての国家論をおなじようにとらえている。

よくしられているように、エンゲルスの『家族、私有財産及び国家の起源』は、レーニンをはじめとする古典マルクス主義の国家論の大きな源泉であった。エンゲルスは、この論文でモルガンの古代社会についての研究に、経済社会的な発展の内容を付与することによって、国家学説をつくりだした。

エンゲルスは、氏族制の内部から、諸産業が農業や商取引が分化して発達し、氏族の血縁法の範囲では統御できない問題がうまれるようになって、各種の共同利益をまもるための政治的職業団体が派生し、それらが共同の利益をまもるために、個々の自己利益をまもるという意味とは別の公的な権力をそれ自体としてつくりだし、このつくりだされた権力が、それ自体で独立の威力をふるうまでになったところに国家の成立をみた。

エンゲルスのこの考察には、各種産業の利益をまもるための共同の官制が、官制として組織されると、それ自体で公的に独立した権力をふるう集団機能に転化するという思考が貫かれている。

わたしどもはここに『猿の人類化への労働の関与』にあらわれたエンゲルスの言語思想に対応する思考法と、同一の結果をみることができる。

しかし、わたしのかんがえでは、エンゲルスは、人間の思考法についての基本的な考察の環を欠いている。それは、サルに宗教がないように、はじめに自然宗教として発生した人間に固有な幻想の表出法が、やがて法をさまざまな家族や血族の慣習的な掟としてつくりだし、国家にまで貫徹されるという幻想の表出法の共同性である。このようにして〈国家〉は、エンゲルスが考察した国家成立の過程の内部に、宗教的な表出法の変化と発展という固有の本質をもたなければならない。このようにかんがえるとき、「国家の本質的な特徴は人民大衆と分離した公的権力に存する」というエンゲルスの『起源』が語る特質の内部に、ひとつの内在的な本質が想定されなければならない。

上山春平の国家論は、もちろんエンゲルスのいう意味での公的権力という概念さえも欠いていて、社会の発展とともに拡大してゆく職能的な共同制が、そのまま国家的な規模に拡大されたものを国家とよんでいるにすぎない。はじめから国家そのものの考察が存在していないのである。それゆえ、やがて農業社会から産業社会へと世界が移行してゆくと、国際機構がうまれて非主権的な地域国家の問題を処理するようになるというイリュージョンにみちびかれるのは当然である。ここに、閉じられたナショナリズムから開かれたナショナリズムへという『大東亜戦争の意味』をつらぬくモチーフがうまれている。

戦争期の超国家主義を閉じられたナショナリズムとよぶことが、天皇制近代国家のなかの支配に直通する土俗的な言語の重さと混沌の意味をつき刺せないモダニズムの開明さにすぎないように、国際機構下における地域社会国家を想定する開かれたナショナリズムが、国家理論におけるプラグマチズムの錯誤に由来することはあきらかである。

エンゲルスの国家学説は、機能的な言語思想が到達できる極限をさしており、レーニンによって特殊化された後に、古典マルクス主義は、もっぱら開化風にこれを水うめするという方法的な泥沼にはいったということができる。

上山春平の原理的な思考は、さらに極端な開化論であって、観念の運動が生みだす幻想性の社会的な在り方ということをぬきにしては、国家そのものが論じられないというような、国家をもんだいにするばあいのいちばん基本的な環が忘れられてしまっている。

古典マルクス主義の言語思想を機能的な言語思想とかんがえれば、上山春平に象徴的にあらわれている言語思想は、機能言語の能率化とよぶことができる。

国家は国家本質の内部では、宗教を起源として法と国家にまで普遍化される観念の運動のつくりあげたものであり、この本質の内在性は、社会の経済構成の発展とは別個のものとして、ただ巨視的な尺度のうちで対応性が成り立つものとみなすわたしどものかんがえは、言語本質の内在性を自己表出とみなす言語思想と一致している。そしてこの考察は、言語を指示性・コミュニケーションとしてみるべきではなく、言語本質の内部では自己表出であり、その外部本質では指示表出であるような構造とみなすことをおしえるのである。

国家は国家本質の内部では、種族に固有の宗教がさまざまな時代の現実性の波をかぶりながら連続的に推移し、累積された共同的な宗教の展開されたものであり、国家本質の外部では、各時代の社会の現実的な構成にある仕方で対応して変化するものとかんがえることができる。

わたしの認識では、世界史の動向が、古典マルクス主義とプラグマチズムの融着の方向をさすとかんがえる現代マルクス主義と戦後プラグマチズムの思想は、ただ幻想の世界体制を自然過程のようにみなす矛盾を語るだけで、どんな意味でも転倒の課題を荷ってはいない。わたしは国家の本質とわが国におけるその実体をこれらの党派のとってきた誤解から解き放つという課題をつうじて、そこから発生する思想的拠点から、これらの党派的思想に逆流する方法をえらばざるをえない。

わたしは、現在の思想的情況のなかで、古典マルクス主義の諸変態と戦後プラグマチズムの思想がとっている立場にたいして原理的に対立するもんだいを、思想の基本的な言葉について羅列してきた。ここに、現在の思想の課題のすべてがあるわけではないとしても、中心的な課題はこめられている。なおしばらくの期間、思想の基本的な言葉について、その概念、それに近づく方法、世界にたいする態度にわたって古典的党派と異同を争わなければならないだろう。これらの争点において、古典的諸党派が内在的に棄揚されるのは必至であり、この意味でわたしにはただ時が欲しいだけである。

（『展望』一九六五年三月号）

II

転向論

吉本隆明

転向とはなにか、については、すでに本多秋五が、その『転向文学論』(1)のなかで普遍化した周到な定義をくだしている。本多によれば、転向の概念は、つぎの三種にきせられる。第一は、共産主義者が共産主義を抛棄する場合、第二は、加藤弘之も森鷗外も徳富蘇峰も転向者であったという場合のように、一般に進歩的合理主義的思想を抛棄することを意味する場合、第三は、思想的回転(回心)現象一般をさす場合である。もし、転向を現象としてみるならば、本多が分類したこの三種の観念につきるであろう。転向の問題が、とどのつまり輸入思想の日本国土化の過程に生じる軋りだ、とする本多の見解が、よくこの分類をうらづけている。

わたしは、ここで、いくぶん本多とはちがったモチーフから転向をあつかってみたいので、いくらかちがった観点から、転向とは何か、をいいきっておきたいとおもう。わたしのモチーフは、かんたんにいえば、日本の社会構造の総体にたいするわたし自身のヴィジョンを、はっきりさせたいという欲求に根ざしている。現在、政治運動家、社会学者、文学者などが、あるいは観念的に、あるいは社会科学的にかいつまんでみせてくれる、その種の認識にたいして、すこしずつ不満をもっていることは、わたしがこういう欲求をおこす一つの原因である。しかし、何よりも、当面する社会総体にたいするヴィジョンがなければ、文学的な指南力がたたないから、このことは、すべての創造的な欲求に優先するのだというとてつもないかんがえが、いつの間にか、わたしのなかで固定観念になってしまっているらしいのである。敗戦体験は、こういう気狂いじみた執念のいくつかを、徹底的につきつめるべきことをおしえてくれた。わたしは、ただ、その執念の一つをたどってみたいのである。

わたしの欲求からは、転向とはなにを意味するかは、明瞭である。それは、日本の近代社会の構造を、総体のヴィジョンとしてつかまえそこなったために、インテリゲンチャの間におこった思考変換をさしている。したがって、日本の社会の劣悪な条件にたいする思想的な妥協、屈服、屈折のほかに、優性遺伝の総体である伝統にたいする思想的無関心と屈服は、もちろん転向問題のたいせつな核心の一つとなってくる。

習慣的な意味で、転向というとき、共産主義者が、共産主義をすてて、主義に無関心となることや、すすんで他の主義に転ずることをさしており、もっと狭義には、共産党員が組織から離脱して、組織無関心になることを意味している。このような転向の定義は、昭和八年、佐野学、鍋山貞親が「共同被告同志に告ぐる書」(2)を公表して、政治思想上の転換を声明したとき使用され、それにつづくマルクス主義政治運動家、文学者の錯綜した屈服と屈折にたいして慣用されてきた。しかし、これらの転向は、けっして別種のものではなく、転向のなかの特殊な一つのケースにすぎない。ただ、日本の社会構造をつかまえることが必須の課題である革命的な自己意識のあいだにおこり、しかも、長期間の投獄か、死か、という権力からの強制によって自己意識の変換を迫られたため、日本的転向の特長が、このケースにもっとも鋭い形で、象徴的に集中せざるをえなかったのである。転向論が、ここを中心に展開されたのは当然だが、転向のカテゴリーをここに限定することは、それほど意味があるとはおもわれない。わたしのかんがえでは、「非転向」的な転向も、「無関心」的な転向もありうるのだ。

近代日本の転向は、すべて、日本の封建性の劣悪な条件、制約にたいする屈服、妥協としてあらわれたばかりか、日本の封建性の優性遺伝的な因子にたいするシムパッシーや無関心としてもあらわれている。このことは、日本の社会が、自己を疎外した社会科学的な方法では、分析できるにもかかわらず、生活者または、自己投入的な実行者の観点からは、統一された総体を把むことがきわめて難しいことを意味しているとかんがえられる。分析的には近代的な因子と封建的な因子の結合のようにおもわれる社会が、生活者や実行者の観念には、はじめもないおわりもない錯綜した因子の併存となってあらわれる。もちろん、けっして日本に特有なものではないが、すくなくとも、自己疎外した社会のヴィジョンと自己投入した社会のヴィジョンとの隔りが、日本におけるほどの甚だしさと異質さとをもった社会は、ほかにありえない。日本の近代的な転向は、おそらく、この誤差の甚だしさと異質さが、インテリゲンチャの自己意識にあたえた錯乱にもとづいているのだ。

佐野学、鍋山貞親が共同署名で公表した「共同被告同志に告ぐる書」が掲載されたのは、昭和八年七月の『改造』である。この文書は日本の共産主義者の転向のさきがけをなすものであったが、佐野、鍋山の転向に反撥しながら、後に転向したマルクス主義者も、社会的なカテゴリーからは、この転向の外にたつものではなかった。その意味で、この文書は、きわめて重要である。わたしは、まず、当時、日本共産党の最高指導者と目されていた佐野、鍋山の転向声明書が、どの程度まで転向のさきがけと典型としての性格をもつか、どこまで質の高さ、思想としての到達点をもつか、どの程度の真理をもっているか、について言及してみなければならない。佐野か鍋山に自伝的な回想があれば、この声明書が公表された事情は、よほどはっきりするだろうが、ここでは、やむをえず、同じ号の『改造』にかかれた、中野澄男のあまり上等でない「佐野・鍋山転向の真相」によらなければならない。中野文は、かいている。

ところで、これも官憲によれば、佐野が、最初に、市ヶ谷刑務所の富山教誨師に対して、日本の国体、国民思想、仏教思想に関する書籍の看読を願出たのは昨年十月十二日で、大森ギヤング事件があつてから一週間目であつた。刑務所では早速『日本思想史』を貸与したが、同月十七日にまた、佐野から日本特殊の国民性を知るため仏教思想を研究する必要上仏教書を貸してくれと申出たので『仏教史の研究』と『思想と信仰』と云ふ二冊を貸与した。佐野はその後藤井教誨師に逢つて「お蔭で仏教とヤソ教の相違点を知ることが出来た、今後も大いに研究したい」と云ふことだつたので、『大乗起信論義記講義』を読ませたところが、その深淵さに一驚を喫したと云ふことである。

それから今年の一月十二日かに佐野は一身上のことで森口典獄補まで面接を願出た。大坪看守長が代つて逢ふと、心境変化のことを訴へたので、これを典獄に報告し、翌十三日は佐野の妻てる子が面会して、心境変化の模様を聞いて帰へり、十四日には佐野から平田検事（東京地方裁判所思想部主任、現同地方裁判所次席検事）に心境変化の要領を上申書やうの形式に認めて提出したので、同検事が佐野をたづね、その席に鍋山とも逢ひ、それから二三日して宮城裁判長と平田検事と二人連れ立つて佐野と鍋山を訪ね、心境を聞き取つて帰つた。それが一月廿日のことで、越えて同月二十九日又も平田検事と宮城裁判長とが佐野と鍋山を訪ねた際、室内筆記と特別書籍の閲読許可のことについて申出があつたので、佐藤典獄と相談して許可したところ、佐野は二月三日から執筆しはじめ半紙九枚のものを書きあげたので、これを鍋山に見せたところ、同月六日に至つて、鍋山はこの末尾に――

同志佐野の見解は根本に於て私の見解と一致してゐる、自分が云つた意見も適当に採用されてゐるから自分は本文に対し一言の修正附加の必要を認めない。

旨を附記し署名をしたので、同月十二日、佐野と鍋山が分担をきめ、上申書を執筆し本文と附録とを合せ二百六十四頁ほどのものが出来あがつた。五月下旬になつて、二人から上申書の要旨を声明書として獄内外の同志や弁護士に送りたいから許して貰ひたいと願出があつたので検閲の結果、許可したのが今度の声明書である。

当然、二三の疑問がおこってくる。第一に、佐野、鍋山の声明書は、官辺にたいする屈服をあきらかにしたのち、上申書の要旨をかきあらためたものであるから、何らかの程度で、官辺との合作になるものではないか、ということである。文学的には、ここで優に一篇の転向心理小説をつくりあげるだけの想像をくわえることができるはずだが、それをしりぞけたいとおもう。声明書にあらわれた思想的内容は、その成立の事情とは別に自立できるものだ、とかんがえるからである。本多秋五は、『転向文学論』のなかで、佐野、鍋山の転向が、獄中生活の苦痛や日本国家による圧迫強制なしにも、不可避的に、声明書のような内容をもちえたかどうか疑問で、耳を覆って鈴をぬすむ背教者の仕業とみるのが、当時もいまも変らぬ健全な常識であろうと思う、とのべているが、わたしは弾圧と転向とは区別しなければならないとおもうし、内発的な意志がなければ、どのような見解をもつくりあげることはできない、とかんがえるから、佐野、鍋山の声明書発表の外的条件と、そこにもりこまれた見解とは、区別しうるものだ、という見地をとりたい。また、日本的転向の外的条件のうち、権力の強制、圧迫というものが、とびぬけて大きな要因であったとは、かんがえない。むしろ、大衆からの孤立（感）が最大の条件であったとするのが、わたしの転向論のアクシスである。生きて生虜の耻しめをうけず、という思想が徹底してたたきこまれた軍国主義下では、名もない庶民もまた、敵虜となるよりも死を択ぶという行動を原則としえたのは（あるいは捕虜を耻辱としたのは）、連帯認識があるとき人間がいかに強くなりえ、孤立感にさらされたとき、いかにつまずきやすいかを証しているのだ。

ことに、「共同被告同志に告ぐる書」が、転向心理的には、「返り忠」のカテゴリーにはいるにもかかわらず、佐野、鍋山が、この「返り忠」を、一個の見解にまで組みあげ、しかも、戦後、両者が再転向しなかったことが、かえってこの声明書を、歴史的文献として、思想的内容から検討することを可能にしているとおもう。

第二の疑問は、中野文を信用するならば、佐野、鍋山が、「日本思想史」や「仏教史」について何ほどの知識も見解もなくて、共産主義運動の指導者だったのか、といういくらかみじめなものとしてやってくる。『大乗起信論』（にかぎらず）ひとつ手にしたこともなかったのが大衆の前衛指導者だったか、こういう情けない疑問は、情けないにもかかわらず、佐野、鍋山が、わが後進インテリゲンチャ（例えば外国文学者）とおなじ水準で、西欧の政治思想や知識にとびつくにつれて、日本的小情況を侮り、モデルニスムスぶっている、田舎インテリにすぎなかったのではないか、という普遍的な疑問につながるものである。これらの上昇型インテリゲンチャの意識は、後進社会の特産である。佐野、鍋山の転向とは、この田舎インテリが、ギリギリのところまで封建制から追いつめられ、孤立したとき、侮りつくし、離脱したとしんじた日本的な小情況から、ふたたび足をすくわれたということに外ならなかったのではないか。日本の国体、国民思想、仏教思想に関する書籍の看読を願出たとか、『大乗起信論義記講義』をよんで、その深淵さに一驚した、などという件りをよむと、中野文の白々しさよりもさきに、みじめな日本のインテリゲンチャ意識が、こころにかかってくる。モダン文学者と共産党の指導者との逕庭は、いくばくぞや、ということになるのである。わたしは、声明書の内容からかんがえて、この佐野、鍋山の声明書にまつわる第二の疑問は、あるいは、日本における転向の一つの典型にまで、ひきのばしうるのではないかとかんがえる。

中野重治の転向小説「村の家」のなかで、もっともコムパクトなプロットの一つは、主人公勉次が、保釈願をかき、政治的活動をせぬという上申書を提出するが、非合法組織に加わっていなかったという主張を守ることができたときの、獄中の勉次の描写である。

「失わなかったぞ、失わなかったぞ！」と咽喉声でいってお菜をむしゃむしゃと喰った。彼は自分の心を焼鳥の切れみたいな手でさわられるものに感じた。一時間ほど前に浮んだ、それまで物理的に不可能に思われていた「転向しようか？　しよう……？」という考えが今消えたのだった。ひょいとそう思った途端に彼は口が乾上がるのを感じた。昼飯が来て受け取ったが、病気は食い気からと思って今朝までどしどし食っていたのが一と口も食えなかった。全く食欲がなく、食欲の存在を考えるだけで吐きそうになった。両頬が冷たくなって床の上に起き上がり、きょろきょろ見廻した。どうしてそれが消えたか彼は知らなかった。突然唾が出て来て、ぽたぽた涙を落しながらがつがつ噛んだ。「命のまたけむ人は――うずにさせその子――おれもヘラスの鷲として死ねるぞ。」彼はうれし涙が出て来た。

ここに描かれた主人公の転向は、もちろん、白々しく日本思想史やら仏教史やらの貸与を願出て、ヤソ教と仏教のちがいがわかったなどと、腑抜けたことをうそぶいたり、『大乗起信論義記講義』をよんでその深淵さに一驚したなどといいながら、（中野文を事実として）「共同被告同志に告ぐる書」を、官辺との納得ずくでかいた佐野、鍋山にくらべれば、はるかに人間として水準が高いことは、いうまでもない。それは、不可避的な転向とさえ呼ぶことができる。文学者が、文学者として政治家よりもはるかに高い水準をしめした例をこの主人公にみることができる。政治的活動を放棄するという上申書を逆手にして立ち上ろうとする鮮やかな文学者の例が、ここにあるのだ。佐野、鍋山と中野の転向のあいだには、「返り忠」と「転向とはいえぬ転向」との大差がある。もちろん、主人公勉次が作中で洞察しているように、この大差といえども、心理的な機微にまで立ち入れば、わずかな差異にすぎないだろうが、ひとたび、人間と人間との対他的な条件におきなおせば、人間的な水準の大差となってあらわれるのである。

しかしながら、転向の「個々的要因」の質のちがい、人間的水準の大差にもかかわらず、佐野、鍋山の転向と、中野の転向には、共通した「社会的要因」があるのではないか、とかんがえる。この要因は、個人的な資質の高低や、思想的節操の強弱の範囲外にありながら、日本的な意識変換のあらわれとして共通なものという外はないのである。たとえば、「村の家」の主人公勉次が、転向出獄後、村の家にかえってのち、父親の孫蔵から、たしなめられるところがある。

それじゃさかい、転向と聞いた時にゃ、おっ母さんでも尻餅ついて仰天したんじゃ。すべて遊びじゃがいして。遊戯じゃ。屁をひったも同然じゃないがいして。竹下らアいいことした。死んだことア悪るても、よかったじゃろがいして。今まで何を書いてよが帖消じゃろがいして。（中略）あかんがいして。何をしてよがあかん。いいことしたって、してりゃしてるほど悪なるんだや。あるべきこっちゃない。お前、考えてみてもそうじゃろがいして。人の先きに立ってああのこうの言うて。（中略）本だけ読んだり書いたりしたって、修養が出来にゃ泡じゃが。お前がつかまったと聞いた時にゃお父つぁんらは、死んで来るものとして一切処理して来た。小塚原で骨になって帰ると思うて万事やって来たんじゃ……

お父つぁんらア何も読んでやいんが、輪島なんかのこの頃書くもな、どれもこれも転向の言訳じゃってじゃないかいや。そんなもの書いて何するんか。何しるったところでそんなら何を書くんか？　今まで書いたものを生かしたけりゃ筆ア捨ててしまえ。そりゃ何を書いたって駄目なんじゃ。今まで書いたものを殺すだけなんじゃ。

作品によれば、この孫蔵は、永くあちこちの小役人生活をして、地位も金も出来なかった代りには、二人の息子を大学へ入れた、正直ものの——ごく平凡な庶民として設定されている。

孫蔵にたしなめられている「村の家」の勉次は、このとき、『大乗起信論義記講義』をよんで、その深淵さに一驚した佐野学と、それほど隔っているだろうか。わたしは、おなじカテゴリーに入るとかんがえる。この箇処は「村の家」の全モチーフを凝結させた優れた会話であり、作品の根幹をなしている。孫蔵からみるとき、勉次は、他人の先頭にたって革命だ、権力闘争だ、と説きまわりながら、捕えられると「小塚原」で刑死されても主義主張に殉ずることもせず、転向して出てきた足の地につかぬインテリ振りの息子にしかすぎない。平凡な庶民たる父親孫蔵は、このとき日本封建制の土壌と化して、現実認識の厳しかるべきことを息子勉次にたしなめる。勉次のこころには、このとき日本封建制の優性遺伝の強靱さと沈痛さにたいする新たな認識がよぎったはずである。すなわち、「村の家」が、転向小説の白眉である所以は、主人公勉次と、父親孫蔵の対面を通じて、この日本封建制の実体の双面を何ほどか浮びあがらせているからであり、「お父つぁんな、そういう文筆なんぞは捨てべきじゃと思うんじゃ。」という孫蔵に対して、「よく分りますが、やはり書いて行きたいと思います。」とこたえることによって勉次があらためて認識しなければならなかった封建的優性との対決に、立ちあがってゆくことが、暗示せられているからである。

『大乗起信論義記講義』の深淵さに一驚した佐野と、孫蔵から軽浮なインテリ振りをたしなめられる「村の家」の勉次とは、転向としておなじカテゴリーに入り、しかし、両者の差異は、人間としての水準の高低に、かかっていると、わたしはかいた。しかし、ここまできて、いくらかの修正を加えることが可能である。両者の「人間としての水準の高低」に、わずかではあるが、社会的意味をあたえることが、できるはずなのだ。佐野らの転向は、日本封建制の優性因子にたいする無条件の屈服であり、「村の家」の勉次は、屈服することによって対決すべきその真の敵を、たしかに、眼のまえに視ているのである。いいかえれば、日本封建性の優性にたいする屈服を対決すべきその実体をつかみとる契機に転化しているのである。

佐野、鍋山の「共同被告同志に告ぐる書」は、その最大のモチーフの一つを、コミンターン・テーゼにたいする公然たる批判においていることは、周知のとおりである。ことに、佐野、鍋山が、反撥をしめしたのは、三二テーゼの反戦任務であった。周知のように、三二テーゼの反戦任務は、はっきりと、反動戦争においては、前衛は、自己政府の敗北を切望しうるだけであり、そのためには、積極的にソ同盟擁護のためにたたかわねばならないことを規定している。日本封建制の優性に屈服した佐野、鍋山が、まず、ここに反撥をしめしたのは当然であった。コミンターンが、蘇聯邦擁護の一語を各国共産党の最高無二のスローガンたらしめ、各国労働階級の利益をもこれが犠牲たらしむるを要求しているのは、世界的労働者運動の発展にとって決して正しいことではない。（中略）我々は過去十一年間、忠実に一切の苦楽をコミンターンに托してきたが、今一切の非難を甘受する決意をもって、

「コミンターンの諸機関」から断然分離して、迫り来る社会的変化に適応しなければならない、としたのである。

おそらく、このとき佐野、鍋山の胸中にあったのは、権力の圧迫にたいする恐怖よりも、大衆的な動向からの孤立感であったはずだ。

一九三一年（昭和六年）満州事変、一九三二年（昭和七年）上海事変、国内における相つぐ右翼テロ事件にあおられて、次第に、戦争へ傾いてゆく大衆的動向を、どのような観点から評価するか、が、このとき、佐野、鍋山らを指導者とする共産主義者たちの試金石であった。「共同被告同志に告ぐる書」は、どのような観点からコミンターン批判を行ったかによって、佐野、鍋山の日本の大衆的動向にたいする評価の如何を露呈したのである。同声明書は、かいている。

最近の世界的事実（蘇聯邦の社会主義をも含んで）は我々に教へる。世界社会主義の実現は、形式的国際主義に拠らず、各国特殊の条件に即し、其民族の精力を代表する労働階級の精進する一国的社会主義建設の道を通ずることを。民族と階級とを反撥させるコミンターンの政治原則は、民族的統一の強固を社会的特質とする日本において特に不通の抽象である。最も進歩的な階級が民族の発展を代表する過程は特に日本に於てよく行はれよう。世界革命の達成のために自国を犠牲にするも怖れざるはコミンターン的国際主義の極致であり、我々も亦実に之を奉じてゐた。しかし我々は今、日本の優秀なる諸条件を覚醒したが故に、日本革命を何者の犠牲にも供しない決心をした。

民族と階級とを反撥させるコミンターンの政治原則、というのは、佐野、鍋山のコミンターン批判の眼目であり、その転向のモチーフの根本をなしている。民族と階級とは、カテゴリーを異にするものだから佐野、鍋山はここでマルクス主義理論を放棄しているのだ、などといってもはじまらない。ここで民族は生活意識の側から佐野、鍋山にやってきたのだ。コミンターン・テーゼを、民族と階級とを反撥させるものだとする佐野、鍋山の観点は、いいかえれば、日本の社会の近代的要素と封建的要素を対立的にかんがえて、封建的民族主義に屈服した観点にたっているということができ、このことによって、満州事変以後の大衆的動向を、全面的に認めようとしていることを意味している。もしも、日本の社会の近代的な要素と封建的な要素とが、矛盾しつつ対立するものとはかぎらないことを洞察しえていたならば、民族と階級とを対立したカテゴリーとして、反撥か、または融合か、というような佐野らの問題提起は、おこらなかったとかんがえられる。佐野、鍋山の転向を、天皇制（封建制）への屈服とかんがえるのは、常識的なものであるが、わたしは、さらに、このことを、大衆的な動向への全面的な追従という側面からもかんがえる必要があるとおもう。これを、佐野、鍋山の転向の内面的なモチーフからいいかえれば、天皇制権力の圧迫に屈した、ということとの外に、大衆からの孤立に耐ええなかったという側面を重要にかんがえたいのだ。佐野、鍋山の転向には、それなりに、大衆的動向からの孤立にたいする自省があったのはあきらかである。この自省は、政治的には、民族と階級との反撥か、融合か、というような見当外れの形でおこなわれたため、思想的な意味をもつことができなかったが、この自省に関するかぎり、三二テーゼの原則をまもって、非転向のまま獄中におかれた二三の革命家が、佐野、鍋山よりも高級であった、ということはありえない。いわば、それは、同じ株が二つにわかれたものにすぎなかった。

ここで、「佐野・鍋山転向の真相」が、ふたたびかえりみられる必要がある。佐野、鍋山の転向が、獄中で官辺から貸与された『日本思想史』とか『思想と信仰』とかいう駄本（であろう）から影響をうけたのだ、というほど、見くびったかんがえ方をするつもりはないが、佐野、鍋山が、典型的に日本インテリゲンチャの思考変換のタイプの一つをたどったのではないか、という点を問題にしなければならないとおもう。

日本のインテリゲンチャがたどる思考の変換の経路は、典型的に二つあると、かんがえる。第一は、知識を身につけ、論理的な思考法をいくらかでも手に入れてくるにつれて、日本の社会が、理にあわないつまらぬものに視えてくる。そのため、思想の対象として、日本の社会の実体は、まないたにのぼらなくなってくるのである。こういう理にあわないようにみえる日本の社会の劣悪な条件を、思考の上で離脱して、それが、インターナショナリズムと接合する所以であると錯誤するのである。このような型の日本的インテリゲンチャにとって、日本の社会機構や日常生活的な条件が、理に合わない、つまらぬものとしてみえるのは、おそらく、社会的な要因からかんがえて、封建的な遺制の残存することによるためではない。むしろ原因の大半はこの種のインテリゲンチャの思考法に封建的意識の残像が反映しているためであり、その残像を消去するためにかれらは思考を現実離脱させているのに外ならない。わたしのかんがえでは、日本の社会が理にあわぬつまらぬものとみえるのは、前近代的な封建遺制のためではなく、じつは、高度な近代的要素と封建的な要素が矛盾したまま複雑に抱合しているからである。

この種の上昇型のインテリゲンチャが、見くびった日本的情況を（例えば天皇制を、家族制度を）、絶対に回避できない形で眼のまえにつきつけられたとき、何がおこるか。かつて離脱したと信じたその理に合わぬ現実が、いわば、本格的な思考の対象として一度も対決されなかったことに気付くのである。このときに生まれる盲点は、理に合わぬ、つまらないものとしてみえた日本的な情況が、それなりに自足したものとして存在するものだという認識によって示される。それなりに自足した社会であると考えさせる要素は、日本封建制の優性遺伝的な因子によっている。佐野、鍋山の転向とは、これを指しているのではないか。わたしの見るところでは、日本のインテリゲンチャはいまも、佐野、鍋山の転向を嗤うことができないのである。

理にあわぬ、つまらない現実としかみえない日本の社会の実体のひとつひとつにくりかえし叩きつけて検証されなかった思想が、ひとたび日本的現実のそれなりに自足した優性におぼれたときこそ無惨であった。「共同被告同志に告ぐる書」は、おそらくここをターンニング・ポイントとして、眼をおおいたくなるような次のことばに接続する。

我々は日本共産党が、コミンターンの指示に従ひ、外観だけ革命的にして実質上有害な君主制廃止のスローガンをかゝげたのは根本的な誤謬であつたことを認める。それは君主を防身の楯とするブルジョア及び地主を喜ばせた代りに、大衆をどしどし党から引離した。日本の皇室の連綿たる歴史的存続は、日本民族の過去における独立不羈の順当的発展——世界に類例少きそれを事物的に表現するものであつて、皇室を民族的統一の中心と感ずる社会的感情が勤労者大衆の胸底にある。

我々はこの実感を有りの儘に把握する必要がある。

かくして、佐野、鍋山の天皇制にたいする屈服は、ほとんど何の余情ものこさずに完結されたのである。文学的な想像をはたらかせれば、ここでも、官辺との合作、権力にたいするさもしげな迎合の匂いがかぎとられないことはないが、そのかんがえをとらない。上昇型の日本のインテリゲンチャが極端に追いつめられた情況で、その思考経路を徹底的につきつめてゆけば、かならず、佐野、鍋山のたどった思考転換の過程をつきすすむとかんがえられる。ただ、ある場合には、「日本の皇室の連綿たる歴史的存続」のかわりに、日本封建制の優性遺伝にたいする文化的または文学的妥協や、伝統的なものへの屈服が、とってかわるだけで、内実において佐野、鍋山の転向とちがったものではない。

日本のインテリゲンチャがとる第二の典型的な思考過程は、広い意味での近代主義（モデルニスムス）である。日本的モデルニスムスの特徴は、思考自体が、けっして、社会の現実構造と対応させられずに、論理自体のオートマチスムスによって自己完結することである。文学的なカテゴリーにおいても、たとえば想像力、形式、内容というようなものが、万国共通な論理的記号として論ぜられる。或る場合には、ヴァレリーが、ジイドが、またある場合にはサルトルが、隣人のごとくモデルニスムスのあいだで論じられ、手易く捨てられるという風潮は、想像力、形式、内容というような文学的カテゴリーが論理的な記号としてのみ喚起されて、実体として喚起されないからである。実体として喚起されるならば、これらの文学的カテゴリーは、その社会の現実の構造と、歴史との対応なしには、けっして論ずることができないものなのだ。

このような、日本的モデルニスムスは、思想のカテゴリーでも、おなじ経路をたどる。たとえば、マルクス主義の体系が、ひとたび、日本的モデルニスムスによってとらえられると、原理として完結され、思想は、けっして現実社会の構造により、また、時代的な構造の移りかわりによって検証される必要がないばかりか、かえって煩わしいこととされる。これは、一見、思想の抽象化、体系化と似ているが、まったくちがっており、日本的モデルニスムスによってとらえられた思想は、はじめから現実社会を必要としていないのである。日本的モデルニスムスにとっては、自己の論理を保つに都合のよい生活条件さえあれば、はじめから、転向する必要はない。なぜならば、自分は、原則を固執すればよいのであって、天動説のように転向するのは、現実社会の方だからである。

一九三二年を前後して、プロレタリア文学運動の解体期に行われた「右翼的偏向に関する論争」において、林房雄、亀井勝一郎、徳永直、貴司山治、藤森成吉などを、批判した際の、小林多喜二、宮本顕治、宮本百合子などの論理は、典型的に日本的モデルニスムスの思考型を、しめしている。わたしは、すすんで、小林、宮本、蔵原らの所謂「非転向」をも、思想的節守の問題よりも、むしろ日本的モデルニスムスの典型に重みをかけて、理解する必要があることを指摘したいとおもう。このような「非転向」は、本質的な非転向であるよりも、むしろ、佐野、鍋山と対照的な意味の転向の一型態であって、転向論のカテゴリーにはいってくるものであることはあきらかである。なぜならば、かれらの非転向は、現実的動向や大衆的動向と無接触に、イデオロギーの論理的なサイクルをまわしたにすぎなかったからだ。

周知のように、右翼的偏向に関する論争は、一九三二年、林房雄が「作家のために」をかいて、作家同盟指導部にたいする不満を、プロレタリア作家は、彼の文学を、どこまでも文学の上にきずくという固い決意をもたねばならぬ、というような発言によってぶちまけたとき、最後の段階にはいっている。出獄後の林の主張の背景には、ほぼ、佐野、鍋山をおとずれたとおなじ意識上の転換があった。終始、大衆文学的な触手を鋭敏にしめしていた林房雄に、このとき大衆の動向にたいする一定の認識があったことは、その後の林の創作活動からかんがえても推定することができる。これにたいする小林多喜二の批判は、「――我々が昨年の九月以来『主題の積極性』といふことを主張し、実践してきたことは、取りも直さず現実の階級闘争の広汎な政治的任務に創作的活動の主題を従属させ、全体として文学活動が政治闘争の補助的任務を果たすためだつたことは、今では何人にも明かなことではないか。そして此の『主題の積極性』のスローガンのもとに、我々は我々の創作的活動に於けるあらゆる偏向と脱落に対して闘争し、我々の陣営を強化してきた。約一年間の実践は、不充分とは謂ひ、我々の方針のたゞしさを証拠だてゝゐる。」というところにつきるものであった。ここで、小林が問題としているのは、林房雄や亀井勝一郎の論旨の背後に、どのような社会的な動向があるのか、どのような大衆的な基礎があるのか、ということではない。当時、マルクス主義として流通していたイデオロギー的なサイクル（実際は少しもマルクス主義的ではない）を基準にして、誰それは、それから逸脱しているか、逸脱していないか、を繰返し論理的に空転させているにすぎない。小林に象徴されている当時の芸術理論の誤謬を論ずるのは別個の課題だからここで触れる必要はないのだが、日本的モデルニスムスに特有な、現実と接触なしに完閉する（マルクス主義とかんがえられた）論理的なサイクルの固執があることは指摘されなければならない。そこには林の論議が、党派性の放棄の公然かつ恥知らずの宣言であるとか、右翼的偏向であるとかいうコトバはあっても、現実の構造につきささってゆく思想的実体はないのである。このような、原則論理のサイクルは、もしも、原則論理自体の誤りがはっきりしたときには、何らの思想的な実体も残さない。たんに、正当とかんがえられる別のサイクルが、ふたたび、とってかわるだけである。

宮本顕治の「政治と芸術、政治の優位性の問題」が、はらんでいるのも日本的モデルニスムス特有の問題である。林房雄の「乃木大将」に触れて、プロレタリア作家であるならば乃木大将の社会階級的役割を曝露しなければならない、「天皇制官僚」としての役割を批判することこそ、最も、本質的な乃木を描くことである、などとかいている宮本の理論の批評には、ここでたちいる必要もないが、宮本の論理が、階級芸術は階級闘争、政治闘争の一形式だなどという出鱈目きわまる原則的サイクルを廻転させるだけで、少しも、現実的な危機の構造にふれて思想の展開を検証しようとする意欲をもたないことに注意しなければならぬ。いまや、決定的な闘争の前夜だというような、まったく、現実を無視した洞察は、機械的にマルクス主義と信じている原則的サイクルを空転させる日本的モデルニスムス特有の思考によって生みだされたものに外ならないということができる。このような、機械的原則論理は、これを固執する個人的環境を完備すれば、絶対に変更する必要がないものであり、節守以前の論理にしかすぎない。

社会的危機にたった場合、民族と階級とをいたちごっこさせねばならなくなる佐野、鍋山の転向と、原則論理を空転させて、思想自体を現実的な動向によってテストし、深化しようとしない小林、宮本などの「非転向」的な転回とは、日本的転向を類型づける同じ株からでた二つの指標である。

わたしは、佐野、鍋山的な転向を、日本的な封建制の優性に屈したものとみたいし、小林、宮本の「非転向」的転回を、日本的モデルニスムスの指標として、いわば、日本の封建的劣性との対決を回避したものとしてみたい。何れをよしとするか、という問いはそれ自体、無意味なのだ。そこに共通しているのは、日本の社会構造の総体によって対応づけられない思想の悲劇である。

佐野学、鍋山貞親にしろ、小林多喜二、宮本顕治にしろ、まず、身をもって一時代の現実の突端にたつことによって、日本的インテリゲンチャとは、どんなものであるかを示してくれた。この転回の二つのタイプは、いずれも、日本の後進性の産物に外ならないが、この後進性が、佐野、鍋山のような転回と、小林、宮本などのような転回とに分裂するのは、まさに、日本の社会的構造の総体が、近代性と封建性とを矛盾のまま包括するからであって、日本においてかならずしも近代性と封建性とは、対立した条件としてはあらわれず、封建的要素にたすけられて近代性が、過剰近代性となってあらわれたり、近代的条件にたすけられて封建性が「超」封建的な条件としてあらわれるのは、ここにもとづいているとおもう。わたしたちは、おそらく、佐野、鍋山的な転向からも、小林、宮本的な「非転向」からも、思想上の正系を手に入れることはできないのだ。転向の問題は、日本では、その大抵の部分が思想的な節操の問題、いいかえれば、一人の人間が、社会の構造の基底に触れながら、思想をつくりあげてゆく問題とは、水準としてなりえていない。それは、おおくイデオロギー論理の架空性（抽象性ではない）からくる現実条件からの乖離の問題にしかすぎない。転向論議が、権力への思想的屈服と不服従の問題として行われてきたことを、わたしは全面的に肯うことができないのである。

一九三四年、板垣直子は、「文学の新動向」をかいて、転向論争の口火を切った。板垣は、冒頭で、ルードヴィヒ・レンが、ナチスにとらえられたとき、自分はコムニスムスを承認する。コムニスムスの理論は正しいが故に自分はコムニストである。それは真理であるが故に全能だ、と明言したという例を引き、日本的な転向を、つぎのように糾弾した。

後世の史家はかくであらう。——当時社会状勢の急激な変化につれて、大多数のプロ作家は転向したが、その代表的な者は、片岡鉄兵、村山知義、中野重治云々と、そしてなほその後にも、それらの転向者は、社会に適応したる方法で売文渡世して終つたと附言されることが予想される。云々

今日、転向論議と目されている論争は、じつに板垣のこの痛烈な皮肉がなければ、おこらなかった。この板垣のコトバが、たとえば中野重治の「村の家」で、主人公勉次に、お前が当然「小塚原」で刑死するものとおもっていた、今後は何もかくな、とたしなめる父親孫蔵の論理と、まったくおなじものであることに注意しなければならない。杉山平助の「転向作家論」も大宅壮一の「転向讃美者とその罵倒者」も、この板垣のコトバを正確に評価できないで、お前は他人に対して威猛高に第一義の生活を要求しながら、自分は第一義の生活をしているのか、とか、「転向作家」の思想を云々する芸術派に、これまでどんな思想があったのか、という反撥をしめしたにすぎなかった。宮本百合子の「冬を越す蕾」でさえ、日本のインテリゲンチャは半封建のまま忽ち帝国主義に発達した社会に即応するため、いやおうなしに敏捷な適応性をみにつけたから、封建的圧力そのものがインテリゲンチャの精神に暗黙の作用をなしていて、それが転向の発生をうながしたのではないか、という常識的な見解を

とり出しえたにすぎなかった。

この転向論争ほど、胸くその悪い論争は、近代文学史上にかつてないものだが、わたしのみるところでは、この中で、さきの板垣直子の痛烈な糾弾のコトバと、これに対して本質的にこたえようとした中野重治の「『文学者に就て』について」だけが、鮮やかに日本的転向の根源にふれようとしている。板垣の罵倒が、爽快な印象をあたえるのは、「村の家」の父親孫蔵のような平凡な庶民が、だれでもなしうる罵倒にほかならないからであり、それが日本封建制の深部意識からの典型的な批判とつながりうるからである。中野重治の「『文学者に就て』について」は、貴司山治への反駁としてかかれているが、本質では、「村の家」の主人公勉次が、父親から問いつめられて、「今ここで筆を捨てたら本当に最後だと思った。彼はその考えが論理的に説明され得ると思ったが、自分で父に対してすることは出来ないと感じた。」そのことを、板垣の糾問にふれ、貴司の転向論にもこたえながら、論理的に説明しようとしたものに外ならぬ。

板垣の糾問のコトバが、「村の家」の父親孫蔵ほどの庶民が、たれでも糾問しうるコトバに外ならず、それ故にこそ本質的な意味をもちうるものであることを、洞察しえたのは、中野重治だけであった。だからこそ、貴司山治が、板垣や芸術派からの批判にたいしてお前などは何もしない傍観者のくせに何をいうか、何もしないお前よりも何かやって失敗した転向作家の方が、まだ、高く支払っているのだ。という論理を、良心的ポーズとない混ぜて応答したとき、中野は黙視しえなかったのだ。中野は、板垣や貴司に反論するよりも「村の家」の父親に象徴されるような日本封建制の優性からの批判にこたえねばならない情熱を感じたであろう。何故なら、この優性が佐野、鍋山を屈服させる力をもつとともに、「村の家」の父親孫蔵に、口先だけで革命論をかきまくり、あげくのはては「小塚原」で刑死するのがこわさに転向する位ならば、はじめから何もしない方がいいのだ、と沈痛な生活者の信念から断言せしめた実体にほかならなかったからである。

もちろん、宮本百合子の「冬を越す蕾」などには、日本封建制の土壌からの批判に、じぶんの思想を対置させようとする意欲はなかった。彼女が、中野や村山が口惜しいとかいたとき、その位置は、典型的な日本的モデルニスムスに外ならぬ。原則を固執して、獄中に「非転向」をまもった蔵原、宮本も、大衆的動向から前衛党が孤立した原因である封建的優性との対決をさけてとおったにすぎぬ。中野は、おそらく独り、これと真正面から対決した。中野は、板垣の糾弾のコトバを、ひとまず次のようにうけとめる。

君の言葉によると、板垣直子の転向作家非難は世間の評判が悪かつたそうである。君自身も一方でその言葉に君として強く打たれたといつているが、他方で彼女の図式主義を誤謬として指摘している。君の書いたものに現われている限りでは、僕も彼女の言葉を正しくないと思つている。しかし彼女が「転向作家は転向するよりも転向せずに小林の如く死ぬべきであつた」といつた時、彼女の求めたものは転向作家の死ではなくて第一義的な生活であつたこと、彼女の言葉が片寄つたものであつたとしても、その片よつた表現へ彼女を駈りたてた激情の源泉に対して彼女が強い肯定の立場に立つていたことは君自身見逃していはしないか？

ここで、中野重治は、「村の家」の主人公勉次が父親に対するように、板垣の糾弾をうけとめている。この受けとめ方こそ、佐野、鍋山になく、小林（多）、宮本になく、中野にだけあったものであった。このときほど、中野が、日本封建制の総体の双面をまざまざと目のまえに据えたことはなかったろう。板垣の糾弾は、その総体からの批判を象徴した。転向論議は、杉山平助のものにしろ、大宅壮一のものにしろ、宮本百合子のものにしろ、胸くその悪いしこりを感ぜずにはよめないのに、板垣の糾弾と中野の論議だけが、すっきりした印象をあたえるのはそのためである。

転向作家が、批判に屈して、少しでも弱気をだしたが最後、はてしなく転落する外はないという心理と論理は、「村の家」の勉次が筆を折れという父親の忠告にたいして、かいてゆきたいとこたえたときの唯一のモチーフであった。中野は、このモチーフを、板垣の糾弾の正面にすえたのである。

弱気を出したが最後僕らは、死に別れた小林の生き返ってくることを恐れ始めねばならなくなり、そのことで彼を殺したものを作家として支えねばならなくなるのである。僕が革命の党を裏切りそれに対する人民の信頼を裏切ったという事実は未来にわたって消えないのである。それだから僕は、あるいは僕らは、作家としての新生の道を第一義的生活と制作とより以外のところには置けないのである。もし僕らが、自ら呼んだ降伏の恥の社会的個人的要因の錯綜を文学的綜合の中へ肉づけすることで、文学作品として打ち出した自己批判を通して日本の革命運動の伝統の革命的批判に加われたならば、僕らは、その時も過去は過去としてあるのではあるが、その消えぬ痣を頬に浮かべたまま人間および作家として第一義の道を進めるのである。

中野が、ここで「日本の革命運動の伝統の革命的批判」とよんでいるものが、日本封建制の錯綜した土壌との対決を、意味していることはあきらかである。このとき、中野は転向によって、はじめて具体的なヴィジョンを目の前にすえることができたその錯綜した封建的土壌と対峙することを、ふたたびこころにきめたのである。「閏二月二十九日」、「『微温的に』と『痛烈に』と」、「文学における新官僚主義」、「一般的なものに対する呪い」など、時評の形で、昭和十一年から十二年にわたって『新潮』にかかれた論文は、もはや、そのたたかいが戯画としかうけとられないような暗い時代の文学情況のなかで、たたかわれた、目に見えない封建的土壌との孤独なたたかいであった。

わたしは、中野の転向（思考的変換）を、佐野、鍋山の転向や小林（多）、宮本、蔵原の「非転向」よりも、はるかに優位におきたいとかんがえる。中野が、その転向によってかい間見せた思考変換の方法は、それ以前に近代日本のインテリゲンチャが、決してみせることのなかった新たな方法に外ならなかった。わたしは、ここに、日本のインテリゲンチャの思考方法の第三の典型を見さだめたい。中野に象徴されるこの第三の典型の優位性が崩壊にたちいたったのは、昭和十年代の後期太平洋戦争下においてであった。ここから、日本的転向の問題は、また、別個の課題にさらされるのである。また、それが、わたしたちにまったく別個の思想的典型を創造すべき課題を負わせている理由でもある。

註（1）本多秋五著『転向文学論』（未来社）二一六頁
（2）『改造』昭和八年七月　一九一－一九九頁
別に同種の要旨を述べたものに次のものがある。

『改造』昭和八年八月　一一四－一三〇頁　佐野学「コミンターンとの訣別」
『中央公論』昭和九年五月　六二－七一頁　佐野学「所謂転向について」

（『現代批評』創刊号　一九五八年十二月）

転向論の展望　吉本隆明・花田清輝

鶴見俊輔

1　戦後転向と戦後転向論

この共同研究が進むのとならんで吉本隆明の転向論が進んで来た。まったく連絡なく別の場所からあらわれたこのもう一つの転向研究について、考えてみたい。吉本の仕事を、転向論にかぎってとらえてみよう。吉本隆明とその論争の相手となった花田清輝との対立も、転向に対する二人の切りこみ方のちがいという点だけにかぎって、考えてみる。

吉本隆明（一九二四―二〇一二）は、大正十三年十一月東京で生まれた。父方の祖父は、九州天草で小さな造船所を経営する舟大工の棟梁であった。米沢の高等工業学校をへて、東京工業大学に入学。東京工大で数学をおしえていた遠山啓の強い影響をうけ、科学方法論をとおして唯物論に接近した。東京工大ではおなじく学生の奥野健男と知り、「大岡山文学」という同人雑誌に詩と評論を書きはじめた。一九四七年（昭和二十二年）九月東京工大化学科を卒業。大学院研究生の生活をへて東洋インキ株式会社に就職。ストライキに敗れ、退職。その後、長井・江崎特許事務所に入り、現在に至った。一九五四年（昭和二十九年）以来詩を「荒地」に、エッセイを「現代評論」に書く。一九五六年（昭和三十三年）に、武井昭夫、奥野健男らとともに同人雑誌「現代批評」をはじめた。一九六〇年（昭和三十五年）六月十五日、六月行動委員会のメンバーとして全学連主流派の学生たちのあいだにおり、警官隊の襲撃をうけてとらえられた。十八日釈放。著書として、『文学者の戦争責任』（武井昭夫と共著、一九五六年）、『高村光太郎』（一九五七年）、『吉本隆明詩集』（一九五八年）、『芸術的抵抗と挫折』（一九五九年）、『抒情の論理』（一九五九年）、『異端と正系』（一九六〇年）がある。

吉本隆明が転向を問題にしはじめた動機は、彼の敗戦の迎え方の中にある。敗戦の日までに彼は敗戦の予感をもたなかったわけではないが、敗けにおわるとしてもこの日本のたたかい方の中に意味をみとめて来た。吉本は自分の生活に影響をあたえた三つの本として、中学生の時によんだファーブルの『昆虫記』、敗戦直後工大生としてよんだ『新約聖書』、さらにその後によんだマルクスの『資本論』の三つをあげている。また、敗戦直前に宮沢賢治についての一冊の本を書きあげ草稿としてもっていたという。ファーブルの『昆虫記』にうちこみ、宮沢賢治の科学技術による農本ユートピア思想にうちこんだ工科専攻生として、吉本には、竹槍でB29をうちたおすことができると信じられなかっただろう。だからこそ彼にとっては、一九四五年（昭和二十年）に、あいつぐサイパン敗北、硫黄島敗北、沖縄敗北のしらせをききながら、だまりこんでしまいがちな良識派知識人の身の賭けかたが不快だった。むしろ、負けとわかっていてもなおこの戦争にかけるという高村光太郎ら徹底抗戦派知識人と姿勢をおなじくする。

全日本の全日本人よ、起つて琉球に血液を送れ。(1)

敗戦の一点に近づくほど、二十一歳の読者としての吉本は、詩人高村光太郎に近づいてゆく。一九四五年八月十五日の日本の降伏は、外部世界における一つの事件としては、吉本にとって高村への尊敬を失わせたものではない。しかし、そのあと、彼が読者として心をかたむけて来た高村光太郎が、次のような詩を発表した時、彼は高村に対して最初の異和感をもつ。この小さな異和感は、自分が読者としてではなく、もはや独立の著者としてたつほかに自分の生きる道を開拓できないという一つの分れ道に彼をたたせ、吉本が著者としての第一歩をふみだす原点となった。

鋼鉄の武器を失へる時
精神の武器おのづから強からんとす
真と美と到らざるなき我等が未来の文化こそ
必ずこの号泣を母胎とし其の形相を孕《はら》まん(2)

外部の世界がくずれても、内部の世界がしっかりとのこっていれば、それはそれでよい。だが、外部の世界がくずれても、内部の世界がくずれなかったかのようなふりをして、外部世界の再建にのりだすという姿勢は危険である。高村光太郎の八・一五をむかえる詩の中に、吉本はこのような危険な姿勢を予感した。高村光太郎はその後、みずからの内部にもう一度深くくぐって、岩手県にゆき孤独な生活の中で「暗愚小伝」を書くが、吉本が高村光太郎の八月十五日をむかえる詩に予感したその最も危険な姿勢は、高村光太郎の戦争推進時代の詩を非難する革命派詩人の仕事の中にあらわれた。それは、みずからの転向の自覚なくして、非転向の立場に自分をおいて、他人の転向を批判するという転向論のスタイルである。このような思想のスタイルが、敗戦後の日本の革命思想・民主主義思想をつらぬくものとしてあったのに対して、二十代前期の吉本はこれらに参加することなく自分の視点をつくろうとする。だが自分の属すべき集団はどこにもなく、自分じしんの分身に対して坐り続ける他なかった。この時代に彼の書いた文章は、「エリアンの手記と詩」(一九四六―七年作)、「異神」(「大岡山文学」創刊号、一九四六年十一月刊)である。これらの文章は、それより十年前の転向体験の中で、おなじく二十代初期の埴谷雄高の書いた『不合理ゆえに吾信ず』(一九三九―一九四〇年)と、自己の内から原理をつくろうという志において似ている。だが、ちがっているところは、埴谷がマルクス主義の借り着をぬぎ、しかも日本国家のきせようとする思想的借り着を着ないという仕方ではだかの自己とむきあったのに対して、吉本はまず日本国家のお仕着せの思想・日本民族の思想をぬぎ、次に進歩陣営のすすめたマルクス主義の借り着をきないという仕方ではだかの自己とむきあったことにある。両者のちがいにとって決定的なものとなるのは、歴史的状況のちがいである。「生れた時にはもう遅かった。[3]」そういう吉本の感じ方は、革命運動の指導部にあって敗北した埴谷とはちがう自己意識である。一九四五年(昭和二十年)は重大な可能性をはらんだ状況であった。この時をのがしたことが生涯にわたる悔恨となる。敗戦を準備し、敗戦を革命に転じることができなかった日本国民は、戦後にも自立することはできないのではないか。記憶と予感のこの複合は、吉本の思想を支える動かしにくい一点となる。この一点の故に、敗戦直後の「民主主義革命」の運動の中にあっても心は別の方向をさしている。吉本は時として「敗戦革命」という言葉をつかうが、この言葉の使い方の中に、彼が日本の戦後史に対してとった角度がある。敗戦をとおして外的強制によってもたらされた諸変化は、革命による諸変化と結果的には同一ではあったが、それらは同時にあくまでも敗戦の産物であった。これらを自力の革命によってかちとったのとひとしく評価することで、戦後の民主主義運動・左翼運動はおこった。これらの運動のたてる目標には同意するとしても、どうしてもそれらには、かれらを自立的に底から支える動機が一本かけていると吉本は考える。この角度のとり方は、宗教的である。目前の政治運動に同意しながらも、それを根本的にはきりすてる。吉本は、キリスト教信徒の信じるような仕方では神を信じない。吉本の中で日本思想への裁断のメートル原器としてはたらくのは、彼内部の鏡にうつった戦後大転向の姿であり、この標準にあわせて戦後民主主義者・革命主義者の言動を計ってみるとき、そのほとんど一切が標準以上に伸びていない。限界状況を一貫性をもってもちこたえられるような思想構造をもつものでなければ、思想としての重要性をもたない。そういう条件をみたさないで思想としてとおっている一切の思想を、学術論文であれ、政治家の言動であれ、詩・小説であれ、すべてたたきこわす役割を、彼は自分にふった。彼が最も警戒するのは戦時下翼賛運動のような私的なつきあいをむすぶことをとおしておたがいの思想に対するゆるしあいをやり、なまくらな裁断しかしなくなることである。「もしも　おれが死んだら世界は和解してくれ。[4]」生きているあいだは和解せず、つねにひきさき、たたきつぶすということ、それは、無限に許し無限に容れる埴谷雄高の創作・批評活動とちがう軸にささえられている。だからこそ、吉本は、埴谷ときわめて似た虚無主義の系譜にたちながら、埴谷を自分の論敵と見なす。このちがいは、埴谷のやせ型体質・神経型気質対吉本の筋骨型体質・闘士型気質、埴谷の投獄体験対吉本の戦争体験というちがいに求められるとともに、埴谷が自由主義・無政府主義→共産主義という通路で思想形成をしたのに対して、吉本が戦時超国家主義→戦後急進主義という通路で思想形成をなしとげたという歴史的状況のちがいからも来る。さらに、埴谷の転向後の思想の導きの糸となったものがジャイナ教、インド教、仏教、道教など東洋の寛容の宗教であったのに対して、吉本の転向後の思想の導きの糸となったものが原始キリスト教というユダヤ＝ヨーロッパの非寛容な宗教であったという思想史的系譜のちがいにもよる。これらのちがいは、埴谷においては転向によって得たイデオロギー・フリーな視野をひろげて生者・死者のあらゆる可能性を見とおすという透視の文学・透視の批評となり、吉本においては戦時戦後の大集団転向を精密に記録し分析することから同時代人の思想の一切を裁断するという批評活動となった。両者のちがいは、同時代の進歩主義者から埴谷は無視され、吉本は憎悪されるというまったくちがう結果をひきだした。

ディケンズの小説『大いなる遺産』をよむと、その主人公のおばあさんは、男にだまされて結婚の当日まちぼうけをくわされて以来、その部屋を一歩も出ずに今やクモの巣のはったウェディング・ケーキのそばに椅子をおいて数十年をすごしている。ヨーロッパの小説、中国の小説や史伝には、この種の偏執狂的な人物が多いが、日本にはきわめてすくない。このことは日本における体質分布、性格型の分布、文化の型のどれとも深い関連をもっている。吉本隆明は、体質的には闘士型、性格的には偏執狂型であるというだけでなく、日本の文化の連続性が敗戦によってきれたその断面に自分の少年時代を見出したというさらに重大な理由によって、日本人の多くのもつ易変的・他者志向的性格から自由になった。こうして彼は、『大いなる遺産』のおばあさんによく似た仕方で、敗戦の一点における日本人の姿・日本の知的指導者の姿を自分の心にやきつけた。以来彼にとっては生きている日本人の姿はつねに、敗戦の時の姿と二重にうつるようになり、戦後の動向はつねに敗戦時にさかのぼって非難される。これは、病的と言えよう。このような病的症状を多かれ少なかれもっている戦中派世代の世代としての特徴とも言えよう。だが、このことからただちに、江藤淳のように、戦中派知識人の破産をみちびきだすことはむずかしい。[5] 時代に対する不適応をわらうのが、今日の日本に優勢な思想である。吉本には偏執狂的性格に特有の視野のせまさがあるが、このようなせまい視野をたもつことをとおしてくっきりと映しだされる日本の側面がある。戦後十五年間だけとってみても、日本思想の各流派内部で根拠なき移動が見られる。このかわりやすさに対立しようとすることは、日本思想全体と対立することにほかならない。この大それた位置のとり方を可能にしたのは敗戦による国策変更によってまじめな下層大衆と少年たちとが、天皇・重臣・支配層・知的指導者に一時とりのこされてしまった状況に対する私怨である。

この私怨をいだいて彼は敗戦直後に『新約聖書』をよみ、『新約聖書』の成立についてのアルトゥル・ドレウスの実証的研究『キリスト神話』をよんだ。彼はドレウスとともに、イエスという単一実在人物がいてその言行を伝記作家マタイが書きとったのではないと推定する。そしてここに吉本の推定がさらに加わるのだが、マタイは、当時迫害されて地下運動を続けていた新興宗教信徒として、迫害する同族に対するはげしい近親憎悪のただなかからイエス・キリストという架空の人物を創作した。創作の素材は、迫害する人びとの聖典である旧約聖書の中に、また迫害される新興宗教信徒中の多くの狂信者たちの生涯の中にあった。それらの素材をつなぎあわせてイエス伝説にまとめあげる一本の糸は、吉本隆明が敗戦にさいして日本社会に対して感じた絶望と憎悪と同質のものである。

マチウの作者は、その発想を秩序からの重圧と、血で血をあらったユダヤ教との相剋からつかんできたにちがいない。原始キリスト教はそれがどのような発想であれ、ユダヤ教派をたおせばよかったのだ。エサイ書五九の五に、「かれらは毒蛇の卵をかえし、また、くもの巣を織る。それらの卵を喰うものは死ぬ。そしてもし、卵が砕かれると、まむしが生れでる。」とあり、律法学者やパリサイ派にたいするマチウの作者の、蛇よ、まむしの血族よ。という憎悪の表現はここからヒントを得たのだが、原始キリスト教の苛烈な攻撃的パトスと、陰惨なまでの心理的憎悪感を、正当化しうるものがあったとしたら、それはただ、関係の絶対性という視点が加担するよりほかに術がないのである。(6)

言葉ではどうとも言うことはできる。しかし、一回かぎりしかないこの状況で、この人間があの人間に対してもつ関係は絶対的なものであり、あいまいさをゆるさない。そこには一つの関係、一つの事実しかない。敗戦の状況において、誰が誰にどういう絶対的関係をもったか、誰が秩序の反逆者であり、誰が疎外者の味方であったか、その関係が絶対的なものとして吉本の内にやきつけられたのである。その時、日本の思想の全体は、秩序にしたがって根拠なく移動するものとしてうつり、戦争下には独立独行して来たかのように見えていた日本の思想が、全体として不毛であることを見きわめたと彼は感じた。

戦争に敗けたら、アジアの植民地は解放されないという天皇制ファシズムのスローガンを、わたしなりに信じていた。また、戦争犠牲者の死は、無意味になるとかんがえた。

だから、戦後、人間の生命は、わたしがそのころ考えていたよりも遥かにたいせつなものらしいと実感したときと、日本軍や戦争勢力が、アジアで「乱殺と麻薬攻勢」をやったことが、東京裁判で暴露されたときは、ほとんど青春前期のわたしをささえた戦争のモラルには、ひとつも取柄がないという衝激をうけた。(7)

自分のやって来たことはなに一つ取柄がない——こういう感じ方がすでに著しく『新約聖書』的である。原始キリスト教の感情の力学とおなじような力学をもって、吉本はいさぎよく自分たちの考えて来たこと一切を無理に正当化しようという努力をやめる。一切の努力は不毛であった。ここに限りない謙虚が生まれる。さらにおなじような努力へと日本人をさそう一切の思想は不毛である。そして断罪されなくてはならない。この徹底的な断罪の仕方において、吉本は限りなく苛酷になる。まさに古代から中世にかけてのキリスト教徒がそうであったように、吉本の転向論は、自分の議論のねうちについて限りなく謙虚であり、他人の議論のねうちについて限りなく苛酷である。

(1) 高村光太郎「琉球決戦」「朝日新聞」一九四五年四月二日。
(2) 同「一億の号泣」「朝日新聞」一九四五年八月十七日。

（3）吉本隆明「エリアンの手記と詩」『抒情の論理』未来社、一九五九年、一二頁。
（4）同「恋唄」同書、六頁。
（5）江藤淳「〝戦後〟知識人の破産」「文藝春秋」一九六〇年十一月号。
（6）吉本隆明「マチウ書試論」『芸術的抵抗と挫折』未来社、一九五九年、七六頁。
（7）同「敗戦期の問題」『高村光太郎』飯塚書店、一九五七年、一八四頁。

2　戦後転向論と戦前転向論

吉本隆明の「転向論」は、敗戦の直後に高村光太郎の「一億の号泣」に対して感じたわずかな異和感から、ゆっくりと成長した。日本は敗けた。この敗けた日本とは何か。その社会の総体をとらえなおして見なければならない。高村光太郎だけでなくすべて日本のすぐれた知識人たちはこの日本の社会の総体をとらえそこなっていたかもしれない。本当にすぐれた人が過去にいたのかも知れぬが、吉本自身の読書体験の中では敗戦をあやまりなく言いあて、さらに敗戦をこえて日本の行くべき道をさししめしていた人はいなかった、吉本がすでに知っていた人びとについては、かれらはすべて例外なくまちがっていたのである。かれらがなぜまちがえたかの理由を根本から検討する必要があり、かれらがなぜまちがっていたかを時間をかけて検討するという仕事が、どういうふうに日本の社会をとらえ、どういうふうにこれに対してはたらきかけてゆくべきかへの答をさがす最も確実な道となるであろう。

わたしの欲求からは、転向とはなにを意味するかは、明瞭である。それは、日本の近代社会の構造を、総体のヴィジョンとしてつかまえそこなったために、インテリゲンチャの間におこった思考変換をさしている。したがって、日本の社会の劣悪な条件にたいする思想的な妥協、屈服、屈折のほかに、優性遺伝の総体である伝統にたいする思想的無関心と屈服は、もちろん転向問題のたいせつな核心の一つとなってくる。(1)

この転向の定義は、敗戦にさいして吉本個人の中に生じた問題を解くという探求過程にぴったりとあった用語規定である。なぜ敗戦をつらぬいて自力再建するコースを日本の知識人はつくれなかったのか、なぜ敗戦が革命によってもたらされるような条件をつくり得なかったかという問題に対して答が求められているのである。このように、「日本の近代社会の構造を、総体のヴィジョンとしてつかまえそこなったために、インテリゲンチャの間におこった思考変換」としてとらえられる時、転向思想とは、日本の現実社会の問題をしっかりとうけとめることのできない思想一般をさすこととなり、日本の現実社会において有効なる保守をなしうる思想と有効なる変革をなしうる思想の双方をのぞく一切の思想である。ここでは、転向する思想とは、吉本の目的から見て「駄目な思想」ということとほとんど同義語となり、転向の研究が吉本においてはその転向責任の追及をコロラリーとして含むことを示している。あらゆる思想は、その転向責任をあくまでも追及されなければならない（われわれの転向研究が吉本の転向研究とちがう方法をもつのは、われわれが転向の理解をまず計ろうとし、転向責任の追及――転向変革の事業――を考慮の外におくことから来ている)。吉本の転向の定義によれば、転向思想とは、日本の現実の問題をうけとめることのできない一切の思想をさすものであるから、いかに進歩的立場を一貫して守ったとしても日本の現実とまったく無関係な公式をくりかえしているタイプのいわゆる「非転向」もすべてふくまれることになる。小林多喜二、宮本百合子、蔵原惟人、宮本顕治は、とくに同時代の転向者の仕事を批判した諸論文において、非転向という形を借りた転向として分類される。(ここでも、吉本の転向論とわれわれの転向論とは、言葉の上では決定的に対立する。吉本の転向論では転向の用語規定がそのまま日本思想批判の結論となっている。)

転向には二つのタイプがある。第一種は佐野・鍋山の例にみられるように、官憲の弾圧によって、というよりは大衆からの孤立にたえかねて、日本封建性の優性遺伝的要素に無条件で屈服するのである。第二種は、蔵原・宮本のように思想を原理として完結した結果、日本の現実社会にぶっつけて検証することをさけて、逃避するのである。これらの転向コースとまったくちがう思考変換のコースをきりひらいたのが、一九三五年に「村の家」を書いた頃の中野重治の例である。

中野は、政治活動をしないという上申書を獄中で書いて保釈出獄を要求する。ここでは、政治的活動を捨てるという姿勢を新しくとることをとおして、もとの共産党員としての政治活動をさらにこえる活動がひらけている。「村の家」の主人公は出獄後田舎にかえって来て父にしかられ、自分のえらんだ思想に殉じることができないくらいならもうものを書くのをやめろと言われる。この時、主人公の父親の言動において、封建的日本の優性遺伝が見事に描かれ、これに対して、主人公である息子が「よく分りますが、やはり書いて行きたいと思います」と答える時、日本の庶民の中にあるこの封建的優性との対決に新しく立ちあがってゆく革命家の姿勢が見られると吉本はいう。ここには、佐野・鍋山のように、大衆からの孤立を恐れて転向してゆく姿勢はなく、蔵原・宮本のように大衆に対しては無関心に自分たちの論理だけを追うという仕方での非転向型転向の姿勢もない。ここで吉本は、中野重治の思考転換を、転向ではない思考的変換と呼んでみたり、他の転向より上位にある不可避的転向と呼んでみたりしているが、これには明白に、論理の混乱がある。転向とは日本社会の重みをうけとめそこなったところからくる思考変換としてとらえるならば、第一種佐野・鍋山型、第二種蔵原・宮本型で、それとちがう中野型は転向には入らず非転向とされるべきだ。しかし、そうとも言いきれず、「不可避的な転向」として転向諸類型中の上位におくならば、実はあらゆる思想が転向であると言うことになり、転向以外の思想類型はなくなる。そういうふうに用語規定をするならば、それでも一貫した体系をつくることもできるはずだが、そのようにして一貫した用語をつかおうともしない。そこで、中野型思考変換は転向以外のものということになったり、転向の一種ということになったりして、用語体系の一貫した適用がのぞみ得なくなっている。

しかし、このような用語上の混乱、論理の矛盾にもかかわらず、この論文の言おうとしていることは、重大である。とくに、日本共産党最高位の理論家蔵原・宮本の非転向を、蔵原・宮本の指導の下に日本共産党の攻撃してきた近代主義そのものとして評価し、蔵原・宮本らの論法は日本の現実と無関係に完結してしまうもので、日本社会の現実問題の重みをうけとめる論法にはなり得ないとしたところは、敗戦直後に日本共産党が進歩陣営に対してもっていた権威に気がねせずに、その弱点をずばりと言いあてている。日本共産党は、吉本の指摘したその仕方で、戦前とおなじく戦後も、その理論的なもろさをあらわに示して、戦後の革命運動の中で後退を余儀なくされた。

獄中からあらわれた非転向派共産主義者についての批判は以上のようなものだったが、獄外にいた抵抗者、偽装転向派共産主義者についての吉本の批判はどうか。ここで私たちは、花田清輝と吉本隆明の論争にふれざるを得ない。

花田清輝（一九〇九―一九七四）は福岡県に生まれ、鹿児島高校をへて、京大英文科卒業。共産党の潰滅の時代に社会に出て、その再建を計りつつ戦争時代をすごした。代議士中野正剛の主宰する東方会のメンバーとなって右翼国家社会主義者と行動をともにし、同時に、中野正剛の弟で画家の中野秀人とともに一九四〇年（昭和十五年）以来同人雑誌「文化組織」を発刊して、この中に、ヨーロッパ文芸復興期の分析に託して同時代の日本に対する妥協なき批判を展開した。文章が難解であったために文章の故に投獄されるにいたらなかったが、国粋主義文学者たちの怒りを買い大東塾塾生によってなぐりこみをかけられ負傷した。これらの文章は戦後にいたって『復興期の精神』と題して発行され、戦後の世代に影響をあたえた。大東亜戦争下には佐藤昇、関根弘、岡田丈夫らとともに軍事工業新聞につとめ、戦時下の産業体制の合理化をすすめる一連の時評を書いた。花田の例は、十五年戦争時代の偽装転向の一つの典型であり、私的交友ならびに公的勤務においては超国家主義者とみまがうばかりの活動形態をとりながら、文章活動の面においては妥協なく国家権力批判の立場をとりつづけたものである。

戦後は共産党に入党、「新日本文学」の編集長となったり、記録芸術の会の創立者の一人となったりした。著書には『錯乱の論理』（一九四七年）、『アヴァンギャルド芸術』（一九五四年）、『政治的動物について』（一九五六年）、『サチュリコン』（一九五六年）、『乱世をいかに生きるか』（一九五七年）、『映画的思考』（一九五八年）、『大衆のエネルギー』（一九五七年）、『近代の超克』（一九五九年）、『泥棒論語』（一九五九年）がある。戦時下および敗戦後の再度の日本人の転向について、花田がどんなふうな評価をもっていたかは、敗戦直後にかかれた『罪と罰』（一九四八年十二月）に明らかである。

「戦犯」と指定されたというので狼狽したり、ふたたびそれを取消されたというので威猛高になったりする文学者があるが、なんという浅薄な心の持主であろう。いやしくも文学者である以上、おのれの罪と罰との微妙な関係にするどい視線をそそぎ、仮借するところなく自己批判を試みるのが、当然ではなかろうか。仮に積極的に戦争を支持していなかったにせよ、あるいはまた、ひそかに戦争に対して消極的抵抗をつづけていたにせよ、とにかく、ほとんどわれわれ大部分のものの位置は、すべて、白と黒とのあいだにある、灰いろの無限の系列のどこかにみいだされる。おそらくダンテなら、今日のドイツや日本の一般の人民を、かれのいわゆる「心おくれ、大事をあやまった人びと」として、地獄のどの環にもいれず、環外の獄にとどめておくにちがいない。かれらには罪はあるが、かくべつ、罰せられはしない。しかし、罰せられないということが、かれらの罰なのだ。かれらは、つねに動揺しているみずからの心の象徴である、絶えず風にひらひらとひるがえっている旗を先頭に、裸のまま、蜿々《えんえん》と長い行列をつくり、むなしく歩きつづけているほかはあるまい。(2)

花田は、戦争協力に無自覚的におちていった日本の共産主義者・自由主義者たちが、社会によっても、またみずからの手によっても罰せられることなく、戦時・戦後を生きてゆくというその状態がそのまま日本の共産主義者・自由主義者にとっての罰になってゆくだろうという見通しをのべている。社会によってもみずからによっても罰せられずにすむという状態は、日本の共産主義者・自由主義者からその思想的自主性をうばってしまうことになり、かれらの思想が戦後日本の社会においてききめのないものになることを意味する。

それでは、第三者がかれらの転向を明らかにし、その戦争責任を自覚させようと努力してはどうか。これに対して、花田清輝は、それがおそらくは効果のあがらない努力になるだろうという先入見をもってきりかえす。前世代の戦争協力の責任を追及するという運動は、この旗印のもとに、若い世代の結集を計ることに終わり、諸世代をつらぬく一つの事業として成立することはないだろうというのが、花田の見解である。(3) この見とおしは、吉本の議論に刺激されておこった若い世代の運動については半分くらい当っている。同時に、高村光太郎論以来、岡本潤・壺井繁治・赤木健介・村野四郎・田木繁・三好達治・津村信夫、さらに佐野学・鍋山貞親・蔵原惟人・宮本顕治・林房雄・中野重治についてその転向経路と戦争責任を一々資料をさがして来ては明らかにしてゆく努力を、敗戦以来の十五年間に吉本隆明がほとんど独力でなしとげたという事実について、花田はまったく認識をかき、評価をあやまっている。また、吉本隆明の戦争責任解明の努力にはげまされて、たとえば鮎川信夫の『戦争責任論』(一九五九年)、秋山清の『文学の自己批判』(一九五六年)のような文章が、これまた個人の責任において書かれたということも、花田は見おとしている。戦争協力責任についての自覚が、かつての翼賛運動とおなじように大きなスケールで掛声によって日本にもたらされると考えることはできない。日本人の戦争協力責任についての自覚をどこかで、一人の人の心の底のほうにでも、はっきりとつくるということが大切なのである。だが、世界史を革命によって区分することに主として意味をみとめ、戦争についての自覚を深めるなどという仕事に意味をみとめたがらない花田清輝にとっては、一人の人間の底に戦争協力責任の自覚をつくろうというような努力は、文筆業者がそのことに生涯をかけるにあたいしないもののように見えているようだ。

吉本隆明の花田論にもどろう。吉本の転向論は、偽装転向の分析に適しない。偽装することをとおして非転向の精神をファシズム権力に対して守るということを、自分にも他人にも言いきかせながら、その非転向の精神そのものが偽装になってしまって、偽装意識にうらづけられた転向ということで終わってしまう。このことが翼賛時代の日本人の転向の特徴であったとするならば、吉本の転向論は、満洲事変から日中戦争までの時期の転向に対してはぴったりあうが、日中戦争から大東亜戦争にかけての翼賛時代の転向に対しては分析に成功していない。このことは吉本の転向論が、感情と論理の次元において思想をとらえることを見事にするが、政治の次元において思想をとらえることに関心を示さないことから来ている。思想のまっすぐな表面をとおしてむりおしに政治の組織をとおりぬけようとするのが吉本の意識的な流儀であり、意識して政治家になろうとし政党の代弁者になろうとする花田清輝と衝突することはあたりまえになる。吉本の転向論は、政治的顧慮をおしつぶす転向論である。このことは、政治的顧慮の過剰な従来の転向論をひっくりかえすのには役に立つ。偽装転向を非転向と認めないという吉本のごういんな説得的定義が、偽装転向を口実として転向論争から逃げてしまおうとする日本の知識人の流儀を直す意味ではよかった。しかしここに、かたよりがある。翼賛時代における偽装転向の記述・分析・正当化に専念する花田清輝の転向論は、当然に吉本隆明の転向論の追補として、時代史的にも、方法的にもくみあわさるべきものである。

花田は翼賛時代の偽装転向のてれんてくだのすべてを使って自在人の立場で、彼の戦中戦後の文章を書いて来た。だが、おなじく自在人である徳川夢声や大宅壮一とちがって、自在人ではありながら現存の一特定政党（ソヴィエト共産党）を自在な仕方で正当化する役割に自分をひそかにしばりつけて来た。このひそかなしばりつけかたが、吉本の批判にさらされる。共産党とのひそかな結び目をきってしまって、花田の讃嘆する徳川夢声同様のただの芸能人となってしまえと花田を攻撃する。このとき、吉本の心にあるのは、翼賛時代を通じてこれら日本の左翼ならびに中道派自在人たちが、本気で何の行動をおこす意欲もなかったことに対する私怨である。敗戦から占領にかけての混乱の機会をとおして、革命への行動をおこしたものは、共産主義者でもなく、人民戦線派でもなく、右翼青年の一団――愛宕山にこもって指導層の自決あるいは引退を主張した尊攘義軍、この種の企図の不成功に見きわめをつけてみずからの死をとおして国の生まれかわりを祈った大東塾塾生である。中学校を卒業して会社の見習社員になったばかりの少年二人が、天皇の終戦の放送をきいて気力を失い家にもかえらずに愛宕山の義軍にくわわって死んだ。これらの少年は、動員先の工場で終戦をきいたときの吉本の肖像と重なっている。これら右翼的改革運動家のように、本気で日本の改革をめざしてむしろ旗なりとも実際にたて自分のいる所を共和国と宣言できる人びとは、左翼、自由主義者の中からはあらわれなかった。このことの重みを花田たち、自在な文化人はうけとめていない。かれらはつねに責任をくらまして時代の曲がり角をすりぬけてゆく。この一点を吉本は体全体の力をかけてつく。吉本の攻撃には根拠がある。同時に、全身の力をかりて花田の仕事全体をおしのけようとする運動は、吉本によっては明らかにできない翼賛型転向の構造を内側からてらしだした花田の仕事の意味を消してしまうことになる。

もう一度、吉本の敗戦転向の記録にひきかえそう。「ことに、戦争に抵抗したという世代があらわれたときは、驚倒した。もし、そういう世代があったとしたら、どうしても戦争期に出遇うとか風聞をきくとかすることがあってもよかったはずだ。[4]」はじめ吉本は、そのような勇敢な抵抗者のイメージを花田清輝に見るが、花田は抵抗者の顔とともに協力者の顔をももっていた。戦中から戦後に舞台がうつると、花田は世界の共産主義諸勢力に対する自由な批判者の役割をうけもつとともに、共産主義諸勢力に対する協力者・代弁者の役割をうけもつというこれまた二つの顔をもつ行動形態に移ってくる。あらゆる権力に対する孤独な批判者の役割をになう決意をもつ吉本が、花田と、転向問題の評価をめぐってあらそうようになるのは、それぞれの役割のえらびかたから当然のこととなった。

権力としての共産党の役割は、とくに戦後日本については改めて考えられなくてはならぬ。戦前も、いくぶんかはそうだったが、戦後は日本国家の権力がよわまるのにつれて、世界諸国の国家権力がより大きな力として日本国民に感じられるにいたった。敗戦直後から占領時代、さらに、単独講和成立後は、直接的に米英の国家権力に敏感なのだが、それと並行して、ソ連、中国の国家権力の動きに対しても、日本国民は戦前以上に敏感に反応するようになった。まして進歩陣営にぞくする日本人に対して、ソヴィエトの国家権力、中国の国家権力は、その思想に対する強制力としては、日本の国家権力以上に直接的・一義的にはたらく。一九五〇年コミンフォルムによる占領下日本共産党の平和革命路線批判、一九五〇年スターリンによるマール言語学批判、一九五四年の中国共産党によるプラグマティズム・近代主義・個人主義批判、一九五六年フルシチョフによるスターリン主義批判、一九五六年ソヴィエト政府によるハンガリア革命弾圧は、間髪をいれず順応的反応を日本の進歩派内部にひきおこした。これらの動きに対して、花田清輝ら日本共産党内部の理論家たちは自主的な考え方を展開して来たとは言えず、ソヴィエト・中国の国家的決定に対して反対しないという方向をとって来た。日本の国家権力に対する日本国民の屈伏を国内転向とよぶとすれば、世界の強大国家権力に対する日本国民の転向は国際転向と呼ぶことができよう。両者ともに、転向現象としての共通の性格をもっている。戦後の進歩派知識人の国際転向型の動きに対しても仮借なき批判者として姿をあらわすのが、吉本隆明である。日本共産党が、吉本隆明をもっともはげしく非難するのは、日本共産党がソヴィエト・中国の国家権力から相対的に自由な思考をきりひらかないかぎり、理由のあることだった。このように日本共産党と対立する地点にたちつづけることをとおして、期せずして、吉本は、日本共産党から除名された革命思想家たち（対馬忠行、黒田寛一、三浦つとむ）と近づくこととなり、それらのもっとも強大な集団としての全学連と近づくこととなる。

この人びとと近づくにいたる経過を吉本は次のように自分の敗戦体験に即して書いた。

わたしは、ただ、なにものにもなることを拒否しながら、めぐってくる舞台を捕捉しようとするだけだ。舞台は社会構成の疎外がむこうからもってきてくれる。わたしは、それを捕捉する。かつて、大衆運動の舞台がわたしにめぐってきたように、こんどは、何かの役割がめぐってくる。ただ、

何ものになることをも拒否するたたかいに耐えることによって、どんな舞台にも応じようとしているのだ。(5)

権力のわけまえにあずかることなく、独占支配体制からおしのけられた境涯にある人民大衆の中に自分をおいて考えてゆく時、しぜんに歴史は吉本に新しい舞台を用意する。一九五九年（昭和三十四年）から一九六〇年にかけての安保闘争にさいして、このような吉本の意向は、全学連の動きに彼を近づけた。しかし、彼が自分の敗戦転向を分析し評価することから、一切の支配権力に対する批判の眼を獲得した故に、彼は、特定集団による運動に、無条件に自分をむすびつけることをしない。進歩派とか、共産党とか、全学連とかを、それが進歩派であり、共産党であり、全学連であるという理由で支持しようと考えない。二十世紀の独占支配の下でおしつぶされそうになっている人間の側にたって、秩序を批判し、そのつくりかえに努力するという、政治に対する対立者の立場に自分をおいている。このような立場は、自分の敗戦転向の分析からの当然の発展として、転向論的視角をとおしての世界諸国の国家権力および経済体制の批判と、世界諸国民の思想の批判とに進むこととなる。

もう一つ、吉本の転向論が、理論的分析をとおしてでなく、むしろ吉本の行動形態をとおして戦後日本の思想にもたらした一つの主張がある。それは、大正七年の新人会創設以来日本の知識人にとってあらゆる議論と行動の無意識的前提となって来た「共産党が唯一つの前衛党であり、日本社会をよい方向にかえてゆこうとするあらゆる運動の目標はこの前衛党の動き方をどのくらいのゆるやかさを以って模倣するかにかかっている」という考え方に挑戦し、かなりのところまでこの無意識的前提をうちやぶることに成功したことである。この意味では吉本隆明は、東大新人会以来の日本の進歩主義の伝統にまっこうから対立する思想家である。このことは、大正・昭和時代を通用して来た「転向」の慣用的定義をかえるはたらきをもする。戦前的な左へならえ理論からすれば、転向とは、共産党からの離脱によって計られる。実在するソ連共産党からの距離が時間をおうて大きくなるような運動形態が、その主体の転向度が大きいということを示すものとされた。このような転向度の実際的測定法、「転向」概念の操作主義的定義は、大正・昭和の戦前史に関するかぎり、あるていど状況によくあっていたので通用することができた。しかし、敗戦にさいしての日本の共産主義者の再起の仕方、その自己批判ぬきの再起の仕方を、自分個人の敗戦転向の体験と対照して分析し価値づけた吉本は、ここから出発して戦前の新人会的進歩主義者のとうてい企ておよばぬ苛酷さをもって共産党を批判しつづける。つねに党外にあり、また党外にあることに何のうしろめたさをも感じることなく、共産党を戦後十五年にわたって批判しつづけた吉本の態度は、戦後に日本共産党に参加してこれに不満をもって離れた人びとにつよい共感をいだかせた。共産党からの離脱は、その行為そのものが、転向を意味するものではない。離党は、消極的行為としてでなく、自主的な前衛として自分をたてなおそうとする意志によっておこなわれる積極的行為としても成立し得る。こうして吉本は、みずからは共産党離脱者ではないなりに、共産党からの積極的離脱の理念をつくりだした結果になった。

コミンフォルムの批判に対する日本共産党の即時転向、国際派・主流派の分派抗争における党指導部の無原則な除名処分、まちがった状勢判断の上にたつ火焔ビン闘争の採択など、戦後の日本共産党に対して急進主義の原理の上にたつ積極的離党の機会は実に多くあった。しかし、この戦後十五年の期間を通じて、日本共産党の指導部を支えて来た理念は、共産党からの離脱はそのまま転向であるという戦前そのままの転向理念であった。その一例をひくならば、吉本とおなじ年代にあって敗戦をむかえ、一九四五年（昭和二十年）の敗戦直後、二十歳の青年として共産党に入って各種の常任生活をへてから、一九五二年（昭和二十七年）分裂問題についての中央の決定に反対して離党した井上光晴は、次のように復党を勧告されたもののようである。

「復党しなければどうして平和の敵になるんだ。そんな言葉はあまり簡単に使わない方がいいよ。君たちはいつも幅広く幅広くと口ぐせのようにいいながら、どうしてすぐそんなレッテルのような言葉を貼りたがるんだ」島村はかなり激しい口調でいった。

「それはですね、島村さん、あんたの場合は違うんだ。普通のインテリや平和主義者ならそれでいいんだ。しかしあんたは一度党に入っていたんだ。一度党に入っていたものが脱党して、しかも進歩的な演劇運動に従っている。……こういうことはそれじたい、その演劇活動が進歩的であればあるだけ、あんたがどんなに善意でやっていても、客観的にはトロツキストの役割を果してしまうんですよ」

林田の口調はいつの間にかぞんざいになってきていた。あんた、あんた、という言葉がひどくはね返って島村には聞えた。『卒業信者の論理だな』と彼は林田が話している間中、そのことを考えていた。『……一度、教会で洗礼を受けた者が、何かの理由で信者であることを返還する（或は通過する）。以後、その者は永遠にユダの扱いをうけ、教会の門は固く閉ざされる。卒業信者こそは、神の前にぬかずくことすら許されぬ、最も侮辱に価する教会の敵なのだ……』

島村は静かに林田にいった。そういう（林田の）言葉に挑発されることを、それこそ彼はすでに通過していた。

「俺が復党しない限り、その活動が進歩的であればあるほどトロッキストだという論理はおかしいね……」

「客観的にはそうなるっていっているんですよ、そうなりますよ。ここであんたと議論したってはじまらんが、結局復党する意志はあるんですか、ないのですか」林田の眼がねっちり光った。

「考えてるんだ。……しかし今すぐ復党する意志は俺にはないよ。復党して忽ち君たちとまた意見のくいちがいで党内闘争なんて、やりきれないからね」

「あんたはそういうふうに考えているんですか。そういうふうに考えることが分派根性というんだ」

「然し君、意見の違いは仕方がないよ。いつも君たちのやり方が正しくて、それに反対意見を持つ者が分派だとは限らんからね」

「それがトロツキストなんだ。裏切者の理窟ですよ、ていさいのよい……」(6)

井上の場合には、一九五二年（昭和二十七年）に存在したような日本共産党からは離党することがかえって、共産党をふくめた自主的な民主主義統一戦線をつくるのに役だつような情勢が戦後の日本に生まれたという情勢認識がある。

「転向」という言葉にこだわるわけではないが、反共と非共とは明らかにちがうのであり、現在の状況では「転向」とは（文字本来の意味とは別に）、戦争を挑発しようとする死の商人の一群・その勢力＝人間の敵の群れ、に理論的（？）実践的に投ずる場合にのみ、使用すべきではないか。いわばスターリンの方法からハロルド・ラスキの方法への「転向」は転向ではなく、そう考えていくことで、各々の方法に違いはあれ、平和と人間の生きる条件を求めてたたかうことを共通の目的とする統一戦線の内部を、直に統一できるのではないか。「転向」をそのようにあつかうことで、本当の統一戦線を生みだしおしひろげる可能が生れるのではないか。はっきりいえば、統一戦線から転落する場合を、私は「転向」と規定したいのだ。(7)

日本共産党をはなれてしかも日本共産党に対する全体的否定の立場をとらぬ方向をとることをとおして、積極的離党者の活動のコースがひらかれているという判断は、一九五二年（昭和二十七年）単独講和条約の発効をさかいとして日本にはじまった中間文化時代に対する新しい積極的はたらきかけの姿勢を提出している。

このことは、思想史的にマルクス・レーニンの原則の純粋学習をとおしてのみ革命思想は発展する、という考え方の否定を含む。同時代の世界をつくりかえるという前衛の任務は、マルクス・レーニンのみでなくこれまで人類の生みだしたすべての重大な思想をうけつぐことをとおしてよりよく進められる。この思想形成の過程で、マルクス、エンゲルス、レーニン、スターリン、毛沢東の業績は、修正されて発展するのが当然のことである。このような主張が、前衛の立場の後退という仕方でなく、現代の世界でよりよく戦うことのできる前衛を準備する。この考え方は、井上光晴ら戦後の積極離党者の中に生まれた。この種の（われわれの用語で言うならば）実りある戦後転向の理念は、吉本隆明の活動によって支えられて来たものである。

吉本隆明の戦後の仕事の特徴は、敗戦において動揺するだけ動揺しつくしてしまって、そのあとの戦後史の展開に対して一喜一憂しないということにある。毎月、毎年における勢力分布の変化に対しては無関心であり、支配権力からのけものにされた人民の解放という太い線をとおして未来のコースをたてなおすということにある。このことは共産党・非共産党、ソヴィエト陣営・アメリカ陣営というこれまでの区分をこえて、底のほうまで深くくぐって世界にとっての根本方針をみつけることを要求する。こうした根本的な再建方針を考える上で、吉本が『新約聖書』解読にさいして用いた「関係の絶対性」の原理は、さまたげになりはしないか。

新約聖書の根にあるのは、関係の絶対性から生まれた私怨だけでなく、この私怨を変容させる力をもつ世界の架空像である。この架空像をとおして、現実、現在の世界においては絶対的な関係が、相対的な関係としてとらえられ、現実の諸関係に対する粘り強い変革への努力がなされる。新約聖書に対する吉本の独自な読み方は、今もなお吉本をおしとどめている。

（1）　吉本隆明「転向論」『芸術的抵抗と挫折』一六九頁。
（2）　花田清輝「罪と罰」『錯乱の論理』青木書店、一九五六年、四六—四七頁。
（3）　花田清輝「ヤンガー・ジェネレーションへ」「文学」一九五七年七月号、同「ノーチラス号反応あり」」「現代芸術」第三号。
（4）吉本隆明「敗戦期の問題」『高村光太郎』一八二頁。
（5）同「海老すきと小魚すき」『異端と正系』現代思潮社、一九二―一九三頁。
（6）井上光晴「三号桟橋」（一九五三年三月執筆）『トロッコと海鳥』三一書房、一九五六年、一一七―一一八頁。
（7）同「人間の生きる条件―戦後転向と統一戦線の問題」（一九五九年六月執筆）『トロッコと海鳥』一八二頁。

（思想の科学研究会編『共同研究・転向　下』一九六二年四月）

日本のナショナリズム

吉本隆明

1　前提

「ナショナリズム」というとき、ひとによってさまざまなかげりをこめて語られる。社会学・政治学の範疇では、世界史が資本制にはいってから後に形成された近代国家そのものを単元として、社会や政治の世界的な諸現象をかんがえる立場をさしている。近代資本主義そのものと相伴う概念である。しかし、「ナショナリズム」という言葉が、世界史の尖端におくればせに登場した国家・諸民族によってかんがえられるばあい、民族至上主義・排外主義・民族独立主義・民族的革命主義などの、さまざまなかげりをふくめて語られる。そこでは、すでに規定そのものが無意味なほどである。

さらに、これが、日本の「ナショナリズム」として、明治以後の日本近代社会におこった諸現象について語られるとき、天皇制的な民族全体主義・排外主義・超国家主義・侵略主義の代名詞としての意味をこめて、怨念さえ伴われる。もちろん、この場合でも、桑原武夫・加藤周一その他におけるように、近代日本資本主義社会の体制的表現としてのナショナリズムの意味でつかわれ、その再認識が語られるばあいがないわけではない。しかし大抵は、日本のナショナリズムは、天皇制を頂点とする排外主義・帝国主義・膨脹主義の権化としてリベラリスト・進歩主義者・「マルクス主義」者の指弾の対象として取上げられるか、あるいは、この反動として日本近代天皇制トオタリズムの再評価すべきゆえんとして語られるか、である。

さらに、日本の「ナショナリズム」が、政治や社会の諸現象のレベルをはなれて、体験のレベルとして、それぞれの個人によって語られるや否や、あらゆる論議は、冷静さを失い、その様相は一変する。つまり、日本の「ナショナリズム」は、まだ論理的な対象として分離されない段階にあることがわかる。

現在の四十代以上の、戦前リベラリスト・古典マルクス主義者（スターリニスト）によって、日本のナショナリズムが語られるとき、秘すべき加担の罪意識が存在する恥部と、抑圧された被害意識として誇張すべき装飾の部分とが錯合して、ほとんど絶対悪の象徴としてあらわれる。三十代半ばから二十代後半の世代によって語られるとき、強烈な絶対否定と、それを無視して思想・政治史を語ることは、青春そのものの喪失であるという意識との絶対矛盾としてあらわれる。これは、この年代のリベラルな（いいかえれば上・中層知識人の子弟であったもの）にとってもさほど変りがないとおもう。二十代前半以後の年代によって日本の「ナショナリズム」が語られるとき、芋かゆをすすったとか、戦争は面白かったとか、疎開はつらかったとかいう幼年期の無意識的な体験としてのみあらわれるか、たとえば石原慎太郎や大江健三郎のように夢や憧れであったり、近代国家主義として活力を与えるものであったり、あるいは、まったくの関心の外にあらわれるか、あるいは、戦後、スターリニストがふりまいた伝説にかぶれて絶対悪の象徴であるか、のいずれかである。この年代まで下ると、桑原武夫や加藤周一などの「ナショナリズム」の再評価が、ある断絶をもちながら受け入れられる基盤が部分的には存在している。

個人的な体験から世界観にわたるこの思想性の錯綜を考慮にいれたうえで、日本の「ナショナリズム」を系譜としてとりだすことは、不可能であるとおもわれる。やむをえず、わたしの問題意識をもとにして、これに接近するほかはない。

わたしがもっとも関心をもつのは、決して「みずから書く」という行為では語られない大衆の「ナショナリズム」である。この関心は、「沈黙」から「実生活」へという流れのなかで消えてしまって、ほとんどときあかす手段がない。戦後になって、戦没学生の手記、戦没した農民の手記、疎開学童の記録、主婦の戦争体験といったものが公刊された。編者たちの作為をべつにしても、「書く」という行為と修練に参加したとき、すでにこれらの大衆にとらえられたナショナルな体験の意味は、沈黙の行為から実生活へと流れる大衆そのものの思考とはちがったものとなっている。ここから、日本大衆の「ナショナリズム」にたいする思考をくみとることは、ある保留を必要としているのである。「書く」大衆と、大衆それ自体とのげんみつな、そして決定的な相違の意味は、生活記録論やプラグマチズムによってはよくとらえられていない。現実上の体験と、その体験を記録することのあいだには、千里の距りがあるということが、きわめて重要な意味をもつのだが、大衆の現実体験や体験思想の記録の編者たちは、おおく実用主義的であるため、これらの記録にあらわれた体験と思想を、そのまま大衆の体験と思想のようにかんがえて取りあつかおうとする。ここから、ある種の虚像がえられる可能性があたえられるのである。

言語を伝達としてとらえるのとおなじように、「書く」という行為と、現実的「行為」の概念とのあいだのちがいは、本質的には生活記録論、プラグマチズムによっては、とらえられていない。久野収・鶴見俊輔『現代日本の思想』のなかで、著者たちは、日本のプラグマチズムとして生活綴り方運動をとりあげている。まず、著者たちは、パースのプラグマチズム格言の説明からはいる。ある概念とは、それが人間の行動に対してどんな影響をあたえるかを考えたとき、そのようにして想像される影響の総体が、その概念の意味の全部である、というマクシムに、プラグマチズムの本質があるとする。日本の生活綴り方・生活記録の方法は、この逆で、「書く」という行動のつみかさなりが、新しく現実的行動へと流れて、それがつみかさなり、さらに「こう書こう」という形で展開すると説明している。そして、今日の膨大なマス・コミュニケーション下では、あたらしいプラグマティック・マクシムが必要だとして、著者たちは、つぎのようにのべている。

マス・コミュニケイションによってあたえられた記号の意味を計るのに、われわれは、その記号が、どんな階級的利害をもつ集団によってどんな階級的目標にむかって用いられているのかを計らねばならず、また、われわれ権力階級以外の諸集団の力が、その記号をその目標からどの程度にそらして使い得る条件にあるかを合せて計らねばならぬ。こうして、記号の意味は、一定の条件の変化とともにたえず外気の温度を計る必要があるのと同じく、くりかえし、改訂を必要とする、現在から未来にかけての歴史的傾向の予測として計ることができる。

著者たちの一人（鶴見俊輔）が別の著書で予想しているように、このような見解は、現在解体期スターリニズムによって、ほとんどそのままうけ入れられる世界的傾向にある。

しかし、このようなプラグマチズムのマクシムが承認されるためには、ふたつの前提がいる。ひとつは、「書く」ということと「話す」ということとを同一のレベルにあると見做すことである。さらにもうひとつは、「大衆」という概念を、マス・コミュニケーション下にみずから登場する「知的大衆」と同一と見なし、マス・コミュニケーション下にみずから登場することを、いいかえれば知識人にちかづく方向を高次にあるものと見なすことである。わたしは、「大衆」をそういうものとして捉えることに反対する。「大衆」を依然として、常住的に「話す」から「生活する」（行為する）という過程にかえるものとしてかんがえる。また、「大衆」が、この「話す」から「生活する」（行為する）という過程を、みずから下降し、意識化するとき、権力を超える高次に「自立」するものとみなす。わたしが、解体期スターリニズム（構改論）や硬化スターリニズム（毛沢東主義）に反対するのは、その思想の基本構造に、どうしても鶴見の予見するプラグマチズムとの混合の傾向をふくむからである。かくして、「大衆」の原イメージは、けっしてマス・コミ下に登場しない、「マス」そのものをさす。

このようにして、大衆のナショナルな体験と、大衆によって把握された日本の「ナショナリズム」は、再現不可能性のなかに実相があるものと見做される。このことは、大衆がそれ自体としては、すべての時代をつうじて歴史を動かす動因であったにもかかわらず、歴史そのもののなかに虚像として以外に登場しえない所以であるということができよう。しかし、ある程度これを実像として再現する道は、わたしたち自体のなかにある大衆としての生活体験と思想体験を、いわば「内観」することからはじめる以外にありえないのである。

大衆の現実上の体験思想から、ふたたび生活体験へとくりかえされて、消えてゆく無意識的な「ナショナリズム」は、もっともよくその鏡を支配者の思想と支配の様式のなかに見出される。歴史のどのような時代でも、支配者が支配する方法と様式は、大衆の即自体験と体験思想を逆さにもって、大衆を抑圧する強力とすることである。

このような問題意識にたいして知識人とは、大衆の共同性から上昇的に疎外された大衆であり、おなじように支配者から下降的に疎外された大衆であるものとして機能する。わたしたちは、日本の「ナショナリズム」を、この大衆「ナショナリズム」と、そこから上昇的に疎外された知識人の「ナショナリズム」と、大衆「ナショナリズム」の逆立ちした鏡としての支配者の「ナショナリズム」に区別した位相で、つねに史的な考察の対象としなければならないのである。このような位相からは、ある時代のある文化のヒエラルキーは、大衆そのものからの、彎曲を意味している。ただ、この彎曲をとおしてしか、ある時代思想は、すすめられることはないのである。文化を主軸とすればもちろん、歴史体験を主軸とするとき、つねに大衆それ自体は、決して舞台に登場することのない主役としての存在であろうか？　この問いは切実である。

歴史の動因でありながら、歴史の記述のなかにはけっして登場することのない貌《かお》が無数にある。これを捉える方法は、大衆路線でもなければ、民族路線でもない。また、逆に、大衆それ自体を、文化のなかにひき入れる啓蒙主義でもない。わたしは、プラグマチズムも、解体期スターリニズム、硬化スターリニズムも、すべて無効であることがやがて実証されると考えている。

2 大衆ナショナリズムの原像

ここでまず欲しいのは、ただ存在するものとしての日本の大衆「ナショナリズム」とはなにかである。しかし、わたしが手に入れうるのは、支配の形で逆立ちしている大衆の存在の様式と、「書く」という形で存在している大衆から隔絶された大なり小なり知識人の「ナショナリズム」の記述である。プラグマチズムと現今流行のプラグマ＝マルクス主義とは、ともすれば、大衆がその現実体験を記述したとき、それを体験そのものと同一視したがる。しかし、大衆自体は、記述者として参加するやいなや大なり小なり知識人となって自己離脱するものであって、そこには、どのような等価関係もないのである。このことは、はっきりさせておかないと、おおくの誤解がうまれる。

大衆それ自体がのこしてきた、戦争死や殺害や弾痕や、家屋や工場や廃墟が、明治以後アジア地域のいたるところで、また日本列島のいたるところでみつけられる。かれらは現実的行為によってそれをのこし、それをつくり、破壊をさえもつくった。ある種の日本ナショナリズムの研究者たちが、これらの「遺跡」に、大衆の「ナショナリズム」の実体をみようとしたのは根拠がないわけではない。敗戦後、東京裁判で、連合国は、ここにウルトラ化した日本「ナショナリズム」の有罪をみつけだした。東条英機は、逆に、その裁判で胸をそらして、もし、連合国に、みずからの罪なしというものがあれば、屋上に立って、東京の市街の廃墟のあとを一望するがよかろう、そこに大衆が、故意に油を注がれ、爆弾をうちこまれて殺害されたあとをみることができるはずだ、と反論した。

日本「ナショナリズム」の「功罪」を論ずるという意味での、支配者の罪と大衆の罪とは、そういう「遺恨の跡」によっても、あるていどには抽出することができるものである。しかし、日本「ナショナリズム」の支配者における罰、大衆における罰、日本知識人の無力と傍観と便乗における罰は、それによってはかることはできない。われわれはどのように罰せられたか、支配者はどのように罰せられたか、抵抗者と自称するペテン師どもは、いかに罰せられたか？　まるでどぶ泥をのぞき見るように、かれらとわれわれの内部にのぞいて見るほかはないのだ。

現在にいたるまで、わたしたちは、日本ナショナリズムの罰について、よく論じられ、描かれた文書を知らない。罪が本質的に問われないところで、罰は本質的に提出されるはずがないのである。

このような情況のなかで、戦後わたしどもが体験してきた思想の葛藤図は、相互に写しあう鏡の交代であった。そこでは、生き残ったくせに、死者である大衆にたいして、自己の罪と罰とを対置することを知らぬスターリニズム左翼・リベラリスト、そして、死に切ることができなかった右翼のみじめな思想上の生存競争が演じられただけである。どのような勢力が勝利をしめたとて、そんなことに何の思想上の意味もない。たとえば、現在の林房雄の「大東亜戦争肯定論」（『中央公論』連載）は、コミンターン式インターナショナリズムを写す鏡である。労農派といい、講座派といい、神山派といい、すべてこの古いインターナショナリズムの外に立つものではない。羽仁五郎のような老いぼれが現在、威張る理由はどこにもないのだ。福田恆存の「平和論の進め方にたいする疑問」は、みずからの罰を内部にのぞきみることをしなかった、もう戦争はごめんだ式の、リベラリストの平和論と、原水爆は人道にたいする罪だ式の構改派平和運動論の鏡である。保守派は進歩派の鏡である。竹内好・堀田善衛・武田泰淳式の中国・東南アジア後進国ナショナリズムにたいする罪意識は、アジア・アフリカ・ラテンアメリカ後進地域における民族解放運動に、現代革命の主要な問題があるとする中国共産党の誤謬を写す鏡である。愚劣さは愚劣さの鏡である。馬鹿を思想的に生かしているのは、思想的な馬鹿である。誤謬を組織的に生かしているのは、「無関心なものの無関心な共謀」である。「連帯」論を盛り場のバー、サロンの妥協として生かしているのは、孤立者のたたかわない孤立を写す鏡である。

ところでわたしの鏡は何であったのか？　そして現在何であるのか？

いま、幼年時の記憶のひとつをおもいおこしてみよう。戦前に、杉本良吉という劇作家がおり、岡田嘉子という女優といっしょに、樺太の国境をこえてソ連へ逃亡した事件があり、これは当時の新聞に大きく掲載された。わたしが新聞を読めるようになった時期だから、小学生であったとおもう。これに前後して、ソ連赤軍の極東方面の陸軍大将が、ソ満国境を越えて日本へ逃亡した事件があり、これも当時の新聞紙に大きく掲載された。おなじように、小学生のころであったとおもう。このふたつの事件の印象を再現してみると、それは〈暗いなあ〉というものであった。この暗いなあは、日本の情勢が暗いなあという意味と、ソ連という国は暗いなあという意味が、ふたつともふくまれていたにちがいないが、前者は、通念として意識的なものではなかったから、ソ連という国は暗いなあ、という印象だけが、子供心に、鮮やかに浮き彫りされた。当時の子供は、わたしの小学校が、所属だけは東京の中央にあったせいで、天皇がどこかへでてゆく日は、授業をやめて出かけてゆき、道路に並んで最敬礼をささげ、頭をあげることが禁じられていた時代だから、ソ連は暗いという新聞紙からうけた小学生の印象が、宣伝的な印象にすぎないという面があったにちがいない。しかし、このソ連は暗いなあという印象は、敗戦間際にソ連軍が参戦して、ソ満国境を越えたときまで、一貫してかわることがなかった。宣伝、歪曲、その他いっさいをとりのぞいたあとでも、この暗いという印象は、戦後スターリン主義（このなかに毛沢東・フルシチョフ・トリアッティの思想をふくむ。日本のその亜流もふくむ）を考えるばあいの基礎をなした。

ところで、敗戦まもなく、いわゆる「政治と文学」論争がはじまったとき、平野謙は、杉本良吉が岡田嘉子と手をたずさえて樺太を越境してソ連へ逃げた報道を知って、巧いことをやりやがった、という印象をうけた、という挿話をさしはさんでいる。わたしは戦後これをよんだとき、驚きの感じをうけた。この驚きのなかには、世間は広いものだなあ、という感懐もあれば、たった二十年たらずの年齢のちがいが、こうも、人間の感懐を狂わせることが奇蹟のようにおもわれるという点もふくまれている。わたしの子供心の、ソ連は暗いなあという印象のなかに、さまざまな歪曲や、宣伝がふくまれているように、平野謙の巧いことをやりやがったは、当時、口外されない心の奥のつぶやきであったかもしれない。しかし、歪曲やこころのうわべをとり去っても、依然として、ソ連は暗いなあ、という子供の印象にも、戦前転向期の知識人の巧くやりやがったというつぶやきにも、動かしがたい真実の核があることはまちがいない。

わたしは、平野謙の昭和十年前後の生活体験や生活思想と、少年のわたしがいわば父親のもとで無意識にやっていた生活思想や体験が、ひどくかけ離れていたということをあまり信じていない。それにもかかわらず、暗いなあ、と巧くやりやがった、とのあいだには、鏡とそれにたいする像のように対極性が存在している。ゆらい、古典マルクス主義のインターナショナリズムによれば、世代論というのは、あまり人気がないらしい。故意に断層をつくりだすものだという論もある。しかし、まったくおなじような貌で生活していた二十年も隔たらぬ人間の思想に、暗いなあ、と巧くやりやがったという対照性を与えるものは、日本の「ナショナリズム」がもつ煮つめられた体験と思想にほかならないとおもう。この実体を考察するには、満州事変から中日戦争、太平洋戦争へといたる時期の日本の思想を考えるのがもっともてっとりばやい方法である。わたしを戦後つきうごかした思想的な衝動は、煮つめられた現実(戦争)のなかでべつだんちがった頭や行動をもっていなかったものが、こころの底に、このような対照的な核をかくしているという事実であった。これを他国の体験にもとめることはできない。またこれを無視したインターナショナルな思想は、生成と消滅とを、交代にくりかえすにすぎないという確信であった。

実生活や、政治上の現実運動は、消滅したものが、またおなじ貌で再生し、また消滅するという過程を繰返すことがありうるものである。これをよく象徴するものは、日本共産党を頂点とする「反体制」運動である。看板を底辺でささえる人間は、つぎつぎにささいなことで、また死によって消滅するが、日本共産党という看板は、つねに別の人間と世代によって不死鳥のように塗り代えだけで存続する。その政策を支配するのはソ連または中共である。わたしは「転向論」をかいたとき、看板はのこるが、それをささえた底辺は死に、または交代するという様式を、「転向」と規定せずにはどのような「転向論」も成立しないと考えざるをえなかった。わたしの「転向論」では、日本共産党は転向の典型としてとらえられているはずである。

しかし、思想の生命は、それとちがう。それはかならず、思想を支える人間が死ねば死ぬという側面をもつものである。また、生き残ったものは、死者を土中に埋めて、あたらしく再生することはできない。思想が生きつづけるために、かならず死者の思想を包括しなければならない。包括したうえで、止揚する過程がその生命に外ならない。

杉本良吉の樺太越境事件を、巧くやりやがったと考える内奥の核は、これと対照的なソ連は暗いなあという思想の核を包括しなければならない。逆もまたしかりである。

まったく、おなじように、大衆、労働者とは、時代に応じて産業報国会の傘下に包括され、あるいは古典的インターナショナリズムに包括されて揺れうごく存在であろうかという問題意識は生れる。じつは、ここでさきの「前提」が問題となる。これはほんとうは大衆や労働者の問題ではなく、知識人の思想と、いく分かは大衆の存在を写す鏡としての支配者の思想である、ということを想起する必要がある。古典的インターナショナリズムと産業報国会とは、知識人ファシストと知識人スターリニストとを相互に写す鏡である。しかし、大衆の生活思想や生活体験は、そのままこれらの鏡に写されるものではない。大衆は写すべき鏡をじぶんのなかにもたず、それを支配者のなかに逆立ちした形でもっているのである。産業報国会と古典インターナショナリズムとの対立や相互移行は、知識人の問題であって、げんみつには、大衆そのものの問題ではない。

大衆そのものの問題は、支配形態の徐々な連続的な推移のなかに、逆立ちした鏡をもつものである。思想としての大衆の「ナショナリズム」が、支配形態を超える道は、一般にかんがえられるように、かれが、知識人としてのプロレタリア「インターナショナリズム」または、知識人としての「ナショナリズム」革命思想に移行することではない。

むしろ、第一前提として、思想としての知識人になることを排除することであり、知識人の思想そのものを排除することである。おなじように思想としての知識人が、支配者の思想をこえる道は、大衆そのものの生活思想を排除することのなかに存在している。レーニンの組織的な考察は、死の間際に、すでに実質的に知識人官僚組織の中枢を握ってしまったスターリンを弾劾したが、時すでにおそかったという背理となってレーニンに円環せざるをえなかった。しかし、それにもかかわらず、わたしたちは、レーニン以後、それ以外のどんな組織論をも所有していない。レーニン組織論の亜流か、その対称的な鏡としてのファシズム組織論のほかには、甘ったれた学者の吐き気をもよおす統一戦線論などが幅をきかしているのである。

アイ・ジョージの唱う「戦友」を、わたしはテレビの画面を通じてたびたびきいた。そこにはいつも総体的な暗い感銘がある。その歌をうたえば復古調であるといわれないか、それは好戦的と呼ばれまいか、というようなつまらぬ知識人インターナショナリズムの理念に、わずらわされず、また、反対にこれらのもつ意味を忘れるべきではないというような知識人の逆の意味での理念にもわずらわされず、きわめて「自然」にちかく、唱っていることが、暗いが総体性のある感銘を形づくっている。インターナショナリズムの立場からナショナリズムを評価するといった、花田清輝やその亜流のような、馬鹿げた理念からあたうかぎり遠ざかって、みずからよい曲と信じ、よい歌詞と信じ、またみずから通過した体験を核にして、それは歌われている。この歌曲は明治三十八年につくられている。

ああ戦《たたかい》の最中《さいちゅう》に
隣《とな》りに居《お》った此《こ》の友の
俄《にわ》かにはたと倒《たお》れしを
我《われ》はおもわず駈《か》け寄《よ》って

軍律《ぐんりつ》きびしい中《なか》なれど
これが見捨《みす》てて置《お》かりょうか
「しっかりせよ」と抱《だ》き起《おこ》し
仮繃帯《かりほうたい》も弾丸《たま》の中《なか》

折《おり》から起《おこ》る突貫《とっかん》に
友はようよう顔あげて
「お国《くに》の為《ため》だかまわずに
後《おく》れてくれな」と目《め》に涙《なみだ》

あとに心は残れども
残しちゃならぬ此《こ》の体《からだ》

「それじゃ行くよ」と別れたが
永《なが》の別れとなったのか

（真下飛泉「戦友」三−六）

これをそのまま、日本「ナショナリズム」の大衆的心情とかんがえると、誤解を生ずるとおもう。戦争はリアルなものであり、この歌曲とおなじ位相で、「友」を弾《たま》よけにして「我」は逃げるという場面が、戦争のなかでなんべんも繰返されるということを想定できるからである。しかし、知識人によってとらえられた日本「ナショナリズム」の大衆的「連帯」の理念はこのようなものであった。そこでは「お国の為」が、個人の生死や友情と矛盾し、それを圧倒し、しかしあとに余情が残るということが表現された。この表現には、いうまでもなく、その裏面に、他人のことなど、己れの生命のために構ってはいられない、また己れの利益のためには「お国の為」などかまっていられないという、明治資本主義が育てた理念を、かならず付着しているものである。おそらく後年、昭和にはいってウルトラ＝ナショナリズムとして結晶した天皇制イデオロギーは、己れのためには「天皇」や「国体」なぞは、どうなってもしかたがないという心情を、その底にかくしていたのである。明治においてははじめにたんなる裏面に付着していたにすぎない個人主義が、ひとつの政治理念的自己欺瞞にまで結晶せざるを得なかった実体を、わたしたちは、「天皇制イデオロギー」あるいは「ウルトラ＝ナショナリズム」とよんでいる。このような自己欺瞞は、大なり小なり、理念が普遍性を手に入れるためにさけることができないものである。

一般的に日本の「ナショナリズム」に対立する意味でのインターナショナリズムや、日本の大衆の

「ナショナリズム」に対立する意味でかんがえられている、大衆のインターナショナリズムは、これと対照的な意味での、政治的自己欺瞞をふくむものを指している。そして、大衆のインターナショナリズムが、「ナショナリズム」に転ずる契機は、古典的に「転向」と呼ばれるものと密接な関係があり、大衆の「ナショナリズム」が、インターナショナリズムに転ずることは、一般に、大衆の古典的な政治・思想の運動と密接な関係があるものとかんがえられる。かつて、わたしは「転向論」をかいたとき、このことをひとつの照明点からあきらかにした。

「戦友」とおなじように、大衆のナショナリズムを一面からすくった心情の表現は、「広瀬中佐」（大正元年）、「水師営の会見」（明治四十三年）、「婦人従軍歌」（明治二十七年）などの唱歌によって流布された。現在、四十歳をこえる者は、大方これらの心情を、肯定または反撥として通過しているはずである。第二次大戦前の古典時代に、日本の知識人が、少年期をへて長じて社会意識に目覚め、左翼イデオロギーを獲取してゆくばあいは、ひとつには、このような意味で表現された大衆的「ナショナリズム」の裏面に、どれだけの虚偽が付着しているかに気付いてゆく過程としてあらわれた。いいかえれば、社会のリアリズムに目覚めていく過程として。そして、このリアリズムが、またどれだけの虚偽をスターリニズムとして含むものであるかを知らなかったのである。

もうひとつ別の、日本の大衆的な「ナショナリズム」の心情は、つぎのように象徴される。

柴刈《しばか》り縄《なわ》ない草鞋《わらじ》をつくり、
親《おや》の手《て》を助《す》け弟《おとと》を世話《せわ》し、

兄弟仲《きょうだいなか》よく孝行《こうこう》つくす、
　手本《てほん》は二宮金次郎《にのみやきんじろう》。

骨身《ほねみ》を惜《お》しまず仕事《しごと》をはげみ、
　夜《よ》なべ済《す》まして手《て》習《ならい》読書《どくしょ》、
せわしい中《なか》にも撓《たゆ》まず学《まな》ぶ、
　手本《てほん》は二宮金次郎《にのみやきんじろう》。

家業大事《かぎょうだいじ》に費《ついえ》をはぶき、
　少《すこ》しの物《もの》をも粗末《そまつ》にせずに、
遂《つい》には身《み》を立《た》て人《ひと》をもすくう、
　手本《てほん》は二宮金次郎《にのみやきんじろう》。

（「二宮金次郎」『尋常小学唱歌（二）』明治四十四年）

現在でも、小学校の校庭の片隅に、丁髷《ちょんまげ》の少年が、焚木を背負って書物を開きながら歩いている銅像が、ほこりをかぶって置かれているところがあるかもしれぬ。現在では、小学生たちは、その銅像が何のことか理解もしない。教師もまたそれを説明する方法をしらない。この歌曲の象徴するものは、現実としては都市下層大衆の一部、純農村の一部にしか、現在では、通用しないかもしれないし、感性としては、ほとんどすべてに通用しなくなっている。

しかし、これは、近代日本の資本主義の膨脹期に、大衆によってとられた心情の「ナショナリズム」の一面を表象する。刻苦勤勉し、節約家業にはげみ、立身出世せよという意味で、二宮尊徳の伝記のなかの挿話が唱われる。曲は出処がわからぬが、ポピュラーな歌曲としていいものである。

これは、「戦友」とはちがって、政治にむかわずに、社会にむかう大衆の「ナショナリズム」をよく表現している。わたしの推定では、現在、日本の大衆は、刻苦勤勉し、節約家業にはげめば、社会の上層に立ちうるということを、現実的にほとんど信じてはいまいし、またそれは不可能であることをよくしっている。知識人もまた同様である。

しかし、現在、日本の産業資本・金融資本を支配している人物たちは、大なり小なりこのタイプの人間であり、また、知識人は、ごく少数のものが、このモラルを信じているだけである。それにもかかわらず、潜在的には、すべての大衆と知識人は、この資本制上昇期の大衆「ナショナリズム」をみずからのうちにかくしていると、わたしにはおもえる。このような「ナショナリズム」の裏面に付着している不合理を自覚するという過程から生れた左翼イデオロギーは、ひとつには官僚主義イデオロギーとして逆の形で結晶し、またそれを意識の過程として所有したのである。

日本の左翼官僚主義組織のすべての支配が、現在まで、世間知らずの良家の優等生子弟の手に牛耳られており、大衆・労働者がこれに遺恨を抱きながらも、自己上昇してそれらに知的に接近することを択ぶか、逆にいわれのない劣勢意識に身をこがして対峙するというケースから逃れられないのは、かれらがナショナル＝ロマンチシズムの裏面に、インターナショナル＝リアリズムを発見するにとどまり、このインターナショナル＝リアリズムの裏面に、普遍ロマンチシズムの虚偽が付着していることに気づかないためである。わたしは、知的大衆としての知識人と大衆そのものが、この普遍ロマンチシズムの虚偽に気づく過程を、かりに「自立」とよぶのである。
「二宮金次郎」とおなじ意味で、社会にむかう大衆の「ナショナリズム」の表現は、「仰げば尊し」、「はなさかじじい」、「冬の夜」、「故郷」などの唱歌のなかに存在しており、一般的に流布された。

燈火《ともしび》ちかく衣縫《きぬぬ》う母《はは》は
春《はる》の遊《あそ》びの楽《たの》しさ語《かた》る。
居並《いなら》ぶ子《こ》どもは指《ゆび》を折《お》りつつ
日数《ひかず》かぞえて喜《よろこ》び勇《いさ》む。
囲炉裏火《いろりび》はとろとろ
外《そと》は吹雪《ふぶき》。

囲炉裏《いろり》のはたに縄《なわ》なう父《ちち》は
過《す》ぎしいくさの手柄《てがら》を語《かた》る。
居並《いなら》ぶ子《こ》どもはねむさ忘《わす》れて
耳《みみ》を傾《かたむ》けこぶしを握《にぎ》る。
囲炉裏火《いろりび》はとろとろ
外《そと》は吹雪《ふぶき》。

(「冬の夜」『尋常小学唱歌(三)』明治四十五年)

＊

兎追《うさぎお》いしかの山《やま》、
小鮒釣《こぶなつ》りしかの川《かわ》、
　夢《ゆめ》は今《いま》もめぐりて、
忘《わす》れがたき故郷《ふるさと》。

如何《いか》にいます父母《ちちはは》、
恙《つつが》なしや友《とも》がき、
　雨《あめ》に風《かぜ》につけても、
思《おも》いいずる故郷《ふるさと》。

こころざしをはたして、
いつの日《ひ》にか帰《かえ》らん、
　山《やま》はあおき故郷《ふるさと》。
　水《みず》は清《きよ》き故郷《ふるさと》。

（「故郷」『尋常小学唱歌（六）』大正三年）

これらは、いずれも、社会にたいする大衆の「ナショナリズム」の一側面をそれぞれ主題のうえに抽出しており、またそれ故に大衆の間に広く流布されたのである。
現在、表現の主題のうえにのみ先験的な意味をみつけたがるのは、古典左翼と古典右翼にかぎられており、これらの表現理念は、わたしどもによって理論的に克服されつくしている。大正期の大衆の「ナショナリズム」に引継がれていった明治の大衆「ナショナリズム」の表現は、むしろ、政治や社会の主題をとり出したもののなかには存在しなかった。いわゆる古典左翼たちが、いまも唱えている積極的な主題のなかにはなかったのである。明治期の大衆「ナショナリズム」の心情の表現は、主題に外化されたものよりも、大衆の心情そのものの核に下降した表現に、典型的な表芸《おもてげい》があらわれ、その典型によって大正期の大衆「ナショナリズム」の表現に接続されたということができる。このような例は、「青葉の笛」（大和田建樹・明治三十九年）、「夏は来ぬ」（佐佐木信綱・明治二十九年）、「すずめ雀」（佐佐木信綱・明治三十四年）、「七里ヶ浜の哀歌」（三角錫子・明治四十三年）などによって象徴させることができる。

一《いち》の谷《たに》の　軍《いくさ》破《やぶ》れ
討《う》たれし平家《へいけ》の　公達《きんだち》あわれ
　暁《あかつき》寒《さむ》き　須磨《すま》の嵐《あらし》に
聞えしはこれか　青葉《あおば》の笛《ふえ》
（「青葉の笛」）

*

すずめ雀《すずめ》　今日《きょう》もまた
くらいみちを　只《ただ》ひとり
林の奥の竹藪《たけやぶ》の
さびしいおうちへ　帰るのか

（「すずめ　雀」）

＊

真白《ましろ》き富士《ふじ》の根《ね》　緑《みどり》の江《え》の島《しま》
仰《あお》ぎ見るも　今《いま》は涙《なみだ》
帰らぬ十二の　雄《お》々《お》しきみたまに
捧《ささ》げまつる　胸《むね》と心《こころ》

（「七里ヶ浜の哀歌」）

現在、三十代後半以上の人間で、少・青年のある時期にこれらの唱歌の洗礼をうけなかったものは、いないはずである。ここには大衆の「ナショナリズム」の表面にある心情のル・サンチマンが、きわめてよく表象されている。なぜ「くらいみちを　只ひとり」雀はかえるのか？　なぜ帰らぬ十二人の中学生のボート死に「胸と心」を「捧げまつる」のか？　ある種の愚物たちは、このようなル・サンチマンを日本の大衆にのみ固有なものであるとかんがえている。かれらは、ロシアや中国やアメリカには大衆のセンチメンタリズムが存在しないものと錯覚しているらしい。ただ、大衆のセンチメンタリズムは、そのナショナルな核にしたがって質がちがっているというにすぎないのを知らないのである。その危ふやな表現理念の誤謬こそが、古典的モダニズムのさまざまなイデオロギーの形をとった典型である。

これらの歌曲は敦盛が、熊谷から首をかき斬られたとき、どのように血が吹き出したか、雀はその巣にかえるときどのように本能的なものにすぎないか、ボートが沈んだとき中学生たちは、いかにもがき苦しみ、われ先にと生きのびようと努めたか、という大衆の「ナショナリズム」の裏面に付着したリアリズムを忘却するように書かれている。しかし、忘却しているのではない。このようなセンチメンタリズムの表現こそは、銅貨の裏表のように、大衆の「ナショナリズム」のもつリアルな、狡猾で計算深い(知識人などのような空想的にではない)認識をも象徴しているのである。大衆の「ナショナリズム」の心情は、そのセンチメンタリズムをそのまま総体としてみることによっても、その裏を返しても、拾いあげることはできないだろう。わたしたちが大衆の「ナショナリズム」としてかんがえているものは、この表面と裏面の総体(生活思想)を意味するもので、何らかの意味で、その表現にすくいあげられている一面性を意味していることでないことを強調しておかねばならぬ。

3　大衆ナショナリズムの変遷

大正期における大衆の「ナショナリズム」は、あきらかに、政治性としての「お国の為」意識と、社会性としての「身を立て名を挙げ」意識の主題を失った。おそらくこのことは、支配層において、国権意識によって大衆を統合しうるという意識と、腕一本で支配層にもなりうるものであるという資本制意識によって、大衆を統合しうるということが、潜在的には、信じられなくなったことの象徴であり、おなじように、大衆にとってそれが信じられなくなったということを象徴している。このようにして、眼に見えるような形で、政治あるいは社会的な主題が喪失したことは、大正期の大衆「ナショナリズム」の表現の特徴である。「叱られて」（清水かつら・大正九年）、「浜千鳥」（鹿島鳴秋・大正八年）、「背くらべ」（海野厚・大正八年）、「靴が鳴る」（清水かつら・大正八年）、「かなりや」（西条八十・大正七年）、「雨」（北原白秋・大正五年）、「てるてる坊主」（浅原鏡村・大正十年）、「七つの子」（野口雨情・大正十年）、「赤蜻蛉」（三木露風・大正十年）、「夕焼小焼」（中村雨紅・大正十二年）、「花嫁人形」（蕗谷虹児・大正十二年）、「あの町この町」（野口雨情・大正十四年）などが、主題を喪失したあとでの大衆の「ナショナリズム」の表面をよく表現している。

唄《うた》を忘れた金糸雀《かなりや》は、後《うしろ》の山に棄《す》てましょか
いえ、いえ、それはなりませぬ

唄を忘れた金糸雀《かなりや》は、背戸《せど》の小藪《こやぶ》に埋《い》けましょか
いえ、いえ、それはなりませぬ

唄を忘れた金糸雀《かなりや》は、柳《やなぎ》の鞭《むち》でぶちましょか
いえ、いえ、それはかわいそう

（「かなりや」）

＊

雨がふります。雨がふる。
遊びにゆきたし、傘《かさ》はなし、
紅緒《べにお》の木履《かっこ》も緒《お》が切れた。

雨がふります。雨がふる。
いやでもお家《うち》で遊びましょう、
千代紙《ちよがみ》折りましょう、たたみましょう。

（「雨」）

＊

夕焼《ゆうやけ》、小焼《こやけ》の
あかとんぼ
負《お》われて見たのは
いつの日《ひ》か。

山《やま》の畑《はたけ》の
桑《くわ》の実《み》を

小籠《こかご》に摘《つ》んだは
まぼろしか。

十五で姐《ねえ》やは
嫁《よめ》に行《ゆ》き
お里《さと》のたよりも
絶《た》えはてた。

（「赤蜻蛉」）

＊

きんらんどんすの　帯しめながら
花嫁御寮《はなよめごりょう》は　なぜ泣くのだろ
文金島田《ぶんきんしまだ》に　髪結《かみゆ》いながら
花嫁御寮は　なぜ泣くのだろ

（「花嫁人形」）

＊

あの町《まち》　この町《まち》、
日《ひ》が暮《く》れる　日《ひ》が暮《く》れる。

今きたこの道、
かえりゃんせ　かえりゃんせ。

お家《うち》が　だんだん、
遠くなる　遠くなる。
今きたこの道、
かえりゃんせ　かえりゃんせ。

（「あの町この町」）

砂川の闘争の際に、官憲との対峙のあいだから「赤蜻蛉」の歌が流れだしたという話を、想起するまでもなく、「切れる」、「棄てる」、「忘れる」、「絶えはてる」、「泣く」、「かえる」というような動きの表現は、大衆の「ナショナリズム」の心情の側面を的確に象徴している。これら大正期の大衆歌曲の伝える、凝縮と退化の感覚は、社会的主題をうしなったのちの心情の下降に対応している。政治・社会といった主題がどこにもないが、ここに大正期の大衆の心情の「ナショナリズム」がよく表現されている。これらの表現を大衆のル・サンチマンとしてよむのは古典的なモダニズムの愚物だけであって、むしろこれらは、それなりに成熟期にはいった日本の資本制社会の物的な関係のすさまじさ、高度化と停滞の逆立ちした表現にあたっている。これらの大衆的ル・サンチマンの背後には、物欲主義の臭気がただよっているし、その物的な怖れが表現されている、というふうによまないかぎり、文学を社会の動向に結びつける道はありえないのである。この大正期の大衆的「ナショナリズム」の表現にいたって、ついに「お国の為」や「身を立て名を挙げ」という当為は、まったく主題性を喪失するにいたった。わたしは、それを知識人のデモクラシー思想の普及や移植マルクス主義の影響であるという解釈をとらない。デモクラシーや移植マルクス主義は、かつて大衆「ナショナリズム」の核をとらえたことはないのである。これらは、まさに支配層によってとらえられた現実の、鏡にうつされた姿にほかならなかったのである。

大衆の「ナショナリズム」は、その統一的な主題を喪失するやいなや、これらの歌曲が表現しているように、すでに現実には一部しか残っていないが、完全にうしなわれてしまった過去の（いわば明治典型期の）、農村、家庭、人間関係の分離などの情景を、大正期の感性でとらえるというところに移行した。そして、これは幼時体験の一こまと結びつかざるをえなかった。これらの作者たちは、知識人としては、北原白秋・西条八十のようにモダニストであり、野口雨情・蕗谷虹児のようにアナキストであった。しかし、かれらによって一面を抽出された大衆の「ナショナリズム」は、ひとつの現実喪失、または現実乖離《かいり》というような形で、はるかに間接的に大正期社会そのものの物的関係とつながっていたのである。これらは、歌曲として、それぞれ優れた部類に属している。それは、いずれにせよ大衆の「ナショナリズム」の時代的な核を、ある的確な側面から抽出することに成功しているからである。

昭和期にはいって、大衆のナショナルな心情は、さらに農村、家、人間関係の別離、幼時記憶などに象徴される主題の核そのものを、「概念化」せざるをえなくなるところまで移行した。知識層の

「ナショナリズム」思想によって、直接に大衆の「ナショナリズム」が表象されるものだと錯覚している見地にとっては、あるいは意外におもわれるかもしれないが、大衆の「ナショナリズム」が、「実感」性をうしなってひとつの「概念的な一般性」にまで抽象されたという現実的な基盤によって、はじめて知識人による「ナショナリズム」は、ウルトラ＝ナショナリズムとして結晶化する契機をつかんだのである。大衆の「ナショナリズム」が心情としての実感性をうしなったということは、すでに村の風景、家庭、人間関係の訣《わか》れ、涙などによって象徴されるものが、資本によって徐々に圧迫され、失われてゆく萌芽を意味している。このような意味での資本制化による農村の窮乏化と圧迫と、都市における大衆の生活の不安定とは、知識層によって、ウルトラ＝ナショナリズムとして思想化され、それは満州事変いらいの戦争への突入と、一連の右翼による直接行動の事件の思想的な支柱を形成したのである。このような大衆の「ナショナリズム」の心情的な喪失の意味を、日本の古典左翼（スターリニズム）が、いかに把握しえなかったかについては、わたしが他の論稿でくりかえし問題としてきた。古典左翼が高々とらええたものは、天皇制は、ファシズムであるか絶対主義の範疇に属するものか、また、支配体系は日本資本主義であるか、封建的な残渣をもった資本制であるか、といった程度のものであった。そして、それによって政治運動と大衆運動の戦略と戦術が決定されたのである。これら一連のコミンターン＝テーゼについての包括的な理論上の批判は、稿を改めなければならないとおもう。

ただここでは、大衆の「ナショナリズム」の心情的な基盤の喪失こそは、知識層が、「ナショナリズム」を思想としてウルトラ化するために必要な基盤であったことを指摘すれば足りる。支配層は、これに対し、経済社会的には大衆の「ナショナリズム」の最後の拠点である農村、家族にたいする資本制的な圧迫と加工を加え、政治的には、大衆の「ナショナリズム」の「概念化」を逆立ちさせたウルトラ＝ナショナリズム（天皇制主義）によってこれに吸引力を行使したのである。この支配層の二面の方法は、さまざまな錯綜と混乱を生んだ。どのような政治・思想勢力も、これに対応する方法をうみだすことができなかったほどである。

昭和期における大衆の「ナショナリズム」の根源的喪失と「概念化」は、たとえば、つぎのように象徴される。

おみやげ三《みッ》つに　凧三《たこみッ》つ
おみやげ三《みッ》つは　誰《たれ》にやろ
さよならいう子に　分《わ》けてやろ
背《せ》なかをたたいて　ポンポンポン。

おみやげ三つに　凧三つ
凧は凧でも　いたい凧
背なかにしょわせる　いたい凧
そらそらあげるよ　ポンポンポン。

（西条八十「おみやげ三つ」昭和六年）

＊

かきねの、かきねの
まがりかど、
たきびだ、たきびだ、
おちばたき
「あたろうか。」
「あたろうよ。」
きたかぜ、ぴいぷう
ふいている。

（巽聖歌「たきび」昭和十六年）

＊

てんてん手鞠《てまり》　てん手鞠
てんてん手鞠の　手がそれて
どこから　どこまでとんでった
垣根《かきね》をこえて　屋根こえて
おもての通《とお》りへとんでった　とんでった

（西条八十「鞠と殿さま」昭和四年）

＊

あの子はたあれ　たれでしょね
なんなんなつめの　花の下
お人形《にんぎょう》さんと　あそんでる
かわいい美代《みよ》ちゃんじゃ　ないでしょか

（細川雄太郎「あの子はたあれ」昭和十四年）

これらは、いずれも、優れた歌曲として流布されているものである。しかし、ここに表現された日本の大衆の情緒的な基礎には、すでにどのような裏目をかんがえることもできない。また、どのような実感の存在もかんがえることができない。たんなる「概念的」に把握された心情の表現にすぎなくなっている。ここに象徴される大衆の「ナショナリズム」は、すでにそれ自体が、みずからを喪失し、表現としての情緒的迫力を失っている。この意味では、歌曲に表現されたものに対応する現実的基盤が、大衆の「ナショナリズム」からうしなわれていることを、これらの正直な歌曲作家たちは表現したといえる。

この情況は思想的につぎのことを意味している。

一、政治思想としての「ナショナリズム」は、それ自体としては、大衆のナショナルな核を包括するものとなり得なくなったこと（ウルトラ＝ナショナリズム化する契機をもったこと）。

二、農村の資本化に対応するような生産力ナショナリズム（社会ファシズム）が、左右両翼の知識人から生れる基盤が生じたこと。しかし、それは大衆「ナショナリズム」の心情を疎外しそれと対立しているため、あくまでも知識人の思想であって、支配思想とはなりえなかったこと。

これらが、昭和期にはいって移植マルクス主義（スターリン主義）運動と、知識人「ナショナリズム」運動が、社会ファシズム運動へ、また大衆の「ナショナリズム」が、支配層のウルトラ＝ナショナリズム（農本主義・天皇主義）に吸引された思想的な理由であった。

わたしは、いままで、歌曲の表現をかりて、大衆「ナショナリズム」の原像とその変遷の基本的な問題をかんがえてきた。これは、単に、これらの歌曲が、その時代に応じて、広く大衆に流布されたものだから、という理由によるのではない。これらの歌曲の作家たちが、あたうかぎりそのときどきの大衆の支配秩序に向う感性に追従しているため、ある種の近似的な類推が可能となるという理由によっている。すくなくとも、これらの歌曲は、その時代の知識人からは軽蔑されながら口ずさまれ、支配コマーシャリズムからは、広く流布される性格を見ぬかれて迎えられ、じじつ広い大衆が受け入れてきたものである。

4　知識人ナショナリズムの変遷

明治・大正・昭和と変遷してゆく近代日本の大衆「ナショナリズム」の心情的な核の、あるいは主題の喪失過程は、知識人にとって、国権意識と民権意識とのわかちがたい混合から、それらが、すべての資本制生産力「ナショナリズム」（社会ファシズム）へと合流し、この空隙によって充たされないものが、「叛臣」的な「ナショナリズム」意識から、移植デモクラシーをへて移植マルクス主義へと分離し、これがふたたび昭和十年代に、生産力「ナショナリズム」（社会ファシズム）をへて、知識人の「ナショナリズム」のウルトラ化と合流する過程と対応している。

明治十九年徳富猪一郎『将来之日本』はつぎのようにかいている。

吾人はわが皇室の尊栄と安寧とを保ちたまわんことを欲し、わが国家の隆盛ならんことを欲し、わが政府の鞏《きょう》保《ほ》ならんことを欲するものなり。これを欲するの至情に至りては、あえて天下人士の後にあらざることを信ず。しかれども国民なるものは実に茅屋の中に住する者に存し、もしこの国民にして安寧と自由と幸福とを得ざる時においては国家は一日も存在するあたわざるを信ずるなり。しかしてわが茅屋の中に住する人民をしてこの恩沢に浴せしむるは実にわが社会をして生産的の社会たらしめ、その必然の結果たる平民的の社会たらしむるにあることを信ずるなり。すなわち我邦をして平和主義を採り、もって商業国たらしめ平民国たらしむるは実にわが国家の生活を保ち、皇室の尊栄も、国家の威勢も、政府の鞏固も、もって遥々たる将来に維持するのもっとも善き手段にして、国家将来の大経綸なる者は、ただこの一手段を実践するにあるを信ずるなり。

大衆的な「ナショナリズム」にとって、あるいは支配層の国権意識にとって、これがどんな虫のいい、めでたし、めでたし主義にみえようとも、明治初期の知識人にとって、矛盾や分裂があらわれないという意味で、おそらく多数を象徴する進歩思想であった。『将来之日本』は、知識人によって迎えられ、当時のベスト・セラーのひとつであった。

大衆の「ナショナリズム」にとっては、「生産的の社会」や「平民的の社会」は、まだみずからの対立物として自覚せられないままの所有物であった。支配層の国権意識にとっては、「生産的の社会」（資本主義）のためにのみ、国権意識の拡張が必要とされたのであり、蘇峰のいうような折衷と調合は、嗤《わら》うべき夢物語にすぎなかったことは疑いをいれぬ。

「生産的の社会」を支配する明治の産業資本や、「皇室」を明治革命の政治的標識として統合しようとする政治的支配にとっては、蘇峰が民友社をおこし、「平民的の社会」を鼓吹しても、与しやすいものと見えたにちがいない。現在の「反体制」運動が、資本制にとって与し易いとみられているのとおなじように。しかし、ここで蘇峰が「皇室の尊栄」というふうにつかっている「皇室」は、現在かんがえられている天皇制とはまったく異質のもので、むしろ明治革命の一般的表象の意味であることに注意しなければならぬ。また、ここで、「わが政府の鞏保ならんことを欲するものなり。」というようにつかわれている「わが政府」は、ブルジョア革命政府そのものをさしていることも、いうまでもないことである。ここに明治革命の当時の知識人による原イメージが存在している。

ところで、明治の後期にはいっては、すでに知識人の原イメージは、完全に分裂し、そのうえで、蘇峰のいう折衷論の系譜は、知識人「ナショナリズム」として、一種の自覚された国権と民権との綜合のイメージとしてあらわれている。そこには、社会ファシズム論の萌芽が存在するにいたった。

たとえば、陸羯南では、蘇峰の折衷と調合はもっと尖鋭な形であらわれ、多数進歩派の知識人の思想を代表している。羯南の「国家的社会主義」（明治三十年）は、つぎのようにのべている。

> 国家的社会主義は「国家をして社会経済の弊を匡救せしむ」といふに在り。国家の本分は唯だ中外の治安を保つに在るのみ社会経済は宜しく之を個人に放任すべしといふ者是れ所謂る自由論派なり、国家的社会主義は正しく之と相反す。藩閥政事家等は此の主義より干渉的部分を抽《ぬ》き取りて以て国家主義と名づけ、夫の自由論派と対戦するの武器と為すや久し。即ち社会経済に干渉するの一点を見れば、彼等の所謂る国家主義てふものは国家的社会主義に類すと雖も、干渉其事の目的は全く相反す。藩閥党の「国家主義」は軍人官吏貴族富豪の利益を保護する為めに干渉を旨とするも、吾輩が爰に叙する所の「国家的社会主義」は之に反して弱肉強食の状態を匡済するに在り。云々。

羯南によって象徴される知識人の進歩的「ナショナリズム」は、すでに社会ファシズム論の形を明確にもった。いいかえれば、蘇峰では抱合せであったものが、ここで大衆の「ナショナリズム」とちがった、知識人の「ナショナリズム」思想としてはっきりと分離せられたということができる。この意識は、人権思想と国権思想の分離的統一ともいうべき形で自覚された。この時期の大衆の「ナショナリズム」が、無自覚なままではあるが、その裏面に付着しているという形でもっていた現実社会のリアリズムとのちがいは、羯南のばあいはっきりとあらわれている。社会ファシズム論は羯南から昭和の中野正剛にいたるまで支配層のイデオロギーとなりえたことはない。だが、大衆の「ナショナリズム」（農本主義・天皇制イデオロギー）は、逆立ちした形で、支配層のイデオロギーになりえた。社会ファシズム論は、あくまでも知識人「ナショナリズム」の形で終始せざるを得なかったのである。

ナチス＝ドイツやファシズム＝イタリアが支配イデオロギーとして、優にスターリン主義と拮抗する力を、第二次大戦期の一時期にもちえたにもかかわらず、日本の社会ファシズムが支配イデオロギーとなりえずして、天皇制イデオロギーに支配の形をゆずらざるをえなかったとすれば、それらが近代日本の資本制の成立過程を肯定しつつ、「天皇制」的（農本的）国家機関をもって「社会経済の弊を匡救せしむ」ことを目ざした矛盾によっている。天皇制イデオロギーは支配層によって、もっぱら大衆の「ナショナリズム」の心情の一面を逆立ちした形で吸い上げながら、一面で「社会経済」的には、大衆「ナショナリズム」の社会的な基盤（農村）を資本制によって現実的につき崩すという両面を行使したのである。大衆の「ナショナリズム」は、ここでは、天皇制イデオロギーに自己のイデオロギーが鏡にうつされるような幻想をあたえられ、一方で自己の「ナショナリズム」の心情をつきくずすものが、資本制そのものであるかのように考えることを仕向けられた。憎しみは資本制社会に、思想の幻想は天皇制に、というのが日本の大衆「ナショナリズム」があたえられた陥穽であった。さればこそ、農本主義的ファシズムは、北一輝にその象徴を見出されるように、資本制を排除して天皇制を生かす、というところにゆかざるを得なかったのである。

　政治革命としてみるかぎり、明治以後の日本革命をもっとも実現の近くにまで導いたのは、アナキズムや日本共産党に象徴されるスターリニズムではなく、北一輝に象徴される農本主義的ファシズムである。いまだかつて、日本のアナキズムやスターリニズムは、文化左翼の域を脱したことは一度もない。それは知識人の啓蒙主義の段階として考えられるにすぎない。しかし、北一輝などの政治革命は、絶対に社会革命を包括することができない先験性をもっていた。社会革命は、資本制を否定的媒体として肯定するという思想なしには、不可能であり、北らの思想は、この一点においては、文化左翼・知識人リベラリズムにさえ一歩をゆずらざるをえなかった。それははじめから社会革命として実現不可能な政治革命の構想にすぎなかったといいうる。

大正期の知識人によってとらえられた「ナショナリズム」は、大衆「ナショナリズム」の主題の喪失に、対応している。そこでは抽象的世界主義にたいして、具象的民族主義が、不安や世紀病的悩みに対しては生命主義が、観念にたいして体験が、神経にたいして筋肉が、理性にたいして本能が対置される。たとえば、中沢臨川の「新文明の道程」はこうかいている。

現代に於ける民族主義の勃興は生命の自覚に芽ざしてゐる。従つてその要求する愛はより具体的でなければならない。郷土を離れ、家庭を離れ、国家を離れて何処に人道の花が咲くか。生命は汝の隣人から始まる現実の愛を要求して已まない。我等は余りに理想や抽象を重んじ過ぎた。本能の力に復らなければならない。我等は人道の愛なる空漠たる観念の夢から覚めて、生命の伝統の肥えた土に立脚し、卑近な然かし切実な愛から段々大きな愛を体験せねばならぬ。要するところ、抽象的人道主義、消極的世界主義の魔酔郷を離れて、経験の愛に生き、そして具象の人道主義を樹立せねばならぬ。

第一次大戦期にかかれた臨川のこの文章は、一見すると具体性を強調しているようにみえるが、じつは、政治と社会にたいして喪失された主題を語っている。一種の思想の肉体主義への退化ともよぶべきものである。事実、大正期の知識人によってとらえられた「ナショナリズム」は、生命・本能・体験・具象・愛というような次元でしか、現実社会との接触感をもつことができなかった。そして、この裏目には、観念・理性・抽象などが当然想定せられたのである。また、大正期知識人の唱える「現代における民族主義」は、その裏目に「社会主義者に由つて『世界労働組合』が結ばれた。彼等にとつては自国の富豪よりも外国の同僚が親しいものであつた。国と国と戦つてお互に干戈をとる羽目に陥るよりは、同盟罷業の方が彼等には意味があつた。」(同)というインターナショナリズムが想定されていた。こういう位相で存在している大正期知識人の「ナショナリズム」を、わたしたちは、古典マルクス主義のインターナショナリズムと同義対照として理解するものである。いずれも、全否定の媒体となりうるにすぎない。

知識人の「ナショナリズム」は、大衆のナショナルな心情から孤立する。それは、ひとつの必然的な経路ともいえる。しかし、この孤立に、ひとつの意味があるとすれば、知識人がその位置から大衆の「ナショナリズム」を論理づけるという点にあるのではない。おなじように、知識人のインターナショナリズムは、大衆・労働者のインターナショナリズムから孤立する。ここでも、知識人がその位相から大衆のインターナショナリズムを論理づけることにレーニンのいうような意味は存在しないのである。これは、対称的な場所から、おなじように大正期の知識人たちをとらえたひとつの錯誤であった。それらは、両方の車輪のように大衆の「ナショナリズム」からも、その逆立ちした鏡である支配層の「ナショナリズム」からも外れたところで、夢を織るほかはなかった。そして、夢を織りながら、共に、それ自体が社会の現実的な動向から乖離《かいり》していったのである。

おそらく、大正期の停滞しながら膨脹した資本制は、大衆「ナショナリズム」の象徴としての「天皇」を、自己利潤の手段として用いた（天皇機関説）ろうが、「天皇主義」としてウルトラ化する段階にもなかったし、その必要にもせまられてはいなかったと考えられる。ここでも、支配層に、一種の主題の喪失があったはずである。そこにあった資本制の禁制（タブー）としての「天皇」は、ただ社会的自然としての禁制（タブー）であって、ひとつの独立した思想としての天皇制ではなかった。このような過渡性をとらえうるものは、知識人「ナショナリズム」でもなく、知識人インターナショナリズムでもないことは明らかである。「天皇」が資本制にとって、社会的自然としての禁制（タブー）にすぎないことは、肯定的には美濃部達吉の天皇機関説によってとらえられたといえるが、否定的にこの意味をとらえることは、知識人「ナショナリズム」によっても、知識人インターナショナリズムによっても不可能だったのである。美濃部の天皇機関説に、意義をみとめる見地は、この意味ではまったく無価値なものというべきである。

昭和期の知識人「ナショナリズム」の思想は、一見すると逆のようにみえても、大衆「ナショナリズム」の主題の喪失をあきらかに基盤にするものであった。すでに、何らかの意味で、この喪失された大衆「ナショナリズム」の主題を思想化することなくしては、大衆を現場の担い手とする「満州事変」以後の帝国主義戦争の「事実」に追尾しえないとする意識が、昭和の知識人「ナショナリズム」の思想化（ウルトラ化）の原動力をなしたのである。

昭和期の知識人「ナショナリズム」のもっとも傑出した思想化作業のひとつである橘《たちばな》樸《しらき》の「国体論序説」（『中央公論』昭和十六年七月号）から、その問題意識をとりあげてみよう。

橘においては、第一に「国体」の概念は、西欧の「デモクラシー」の概念とまったく同位的な意味をもつものとして「創造」される。すなわち、「国体とは単に一部の人々の情意的把握の対象となるばかりでなく、デモクラシーと同じく理知的に、即ち歴史的・科学的に的確に把握し得るものだというふことを明かにするのが、吾人の国体明徴工作の第一の目標である。」とされる。

ところで、「国体」という概念は、おおむね神授説に根ざしてきたが、現在では科学的に「国体」の発展法則をとらえ、そのうえにたって具体的な「国家改造」の方法がかんがえられねばならないとして、橘があげている国体発展の三つの基本法則はつぎのようなものである。

一、民族組織の単純性（一君万民）を完成する傾向。この傾向を、仮りに超階級維持性の法則と名づけよう。

二、全体と個体、すなわち統制と自由との調和の法則。独り日本又は東洋ばかりでなく、西洋のデモクラシーも常にかかる調和を求める強い傾向を持つのであるが、ただ西洋が、個人主義と社会主義とに論なく、個体を基軸とするに対し、東洋は日本と大陸諸民族とを通じて全体を主調とするところに、尚互に苟合することの出来ない間隙がある。

三、異民族との関係を規定するもので、仮りに民族協和、又は通称に従つて八紘一宇の法則と名づけよう。西洋の対立を原則とするに対し、東洋は融合を原則とする。満洲建国の標語たる「民族協和」は当事者の企図したところは全くこの原則の実現にあった。

このような橘の「国体発展の法則」と称するものが、天皇の地位を超越的にして、支配階級を除去するという結論と、一種のアジア協同体論にゆきつかざるをえないのは当然である。そして、この結論は、当然、北一輝・大川周明らの農本主義ファシズムの結論と、軌を一つにするものとならざるをえなかった。

このような「国体発展の法則」と称するものの裏面には、天皇制国家の大衆にたいする歴代の暴逆と階級支配の法則が厳存し、「民族協和」の背後には、東京裁判によって暴露されたような阿片売買による大陸の大衆への圧制と、南京虐殺に象徴されるような無惨な現実が付着している。

橘の思想にとっては、事、志と反したということになるかもしれないし、現実主義者にいわせれば、理想と現実とはちがうというのが政治運動の実体だということになるだろう。しかし、わたしが、とりあげたいのは「ナショナリズム」とインターナショナリズムの同位的対立、理想と現実のくいちがい、「デモクラシー」と「国体」思想の同位的対立というようなものではない。

じつに、橘に象徴される昭和の知識人「ナショナリズム」が、大衆の「ナショナリズム」を、その鏡としての支配層の「ナショナリズム」（国体、天皇制）と直結しようとして、近代知識人の存在自体の基盤である資本制支配そのものを排除しようとする指向をしめしたという点である。橘が「国体」神授説を「国体」の科学的・理知的・歴史的な論理におきかえようとしたことは、日本的「自然」信仰を、たんに日本的「自然」の理念におきかえただけであり、橘のいうように「西洋社会が自然に出来た社会であるのに対し、われ等のものは意識的に計画的に作られた社会でなくてはならない。作つた社会は出来た社会よりも一段高次の存在であるといへるだらうし、又東洋社会をかくの如きものとして創造することは、吾人の努力次第充分に可能であると思ふ。」という意味はまったくもっていなかった。ここに橘の第一の躓《つまず》きの石が存在した。かれは変革の理念と原理をもとめたのだが、そこには連続性の理念しかなかったのである。

しかし、昭和の知識人「ナショナリズム」の一般的特徴は、橘のなかに優れた形で象徴されている。それは、すでに主題を喪失した大衆の「ナショナリズム」に活を入れようとして、大衆の「ナショナリズム」をそれ自体として論理的に抽出して、その逆立ちした鏡である支配層の「ナショナリズム」（天皇制・国体主義）と直結し、その間から資本制支配そのものを排除しようとするものであった。戦後ウルトラ＝ナショナリズムと名づけられたものは、近代日本の社会ファシズム（スターリニズム転向者を含む）と農本主義との両面から、このような試みに近づこうとした知識人「ナショナリズム」の一般的な傾向と、その現実運動をさしている。

いうまでもなく、この昭和期の知識人によって理念としてつくられたウルトラ＝ナショナリズムは、昭和期の知識人により理念として移植されたコミンターン（またはスターリニズム）インターナショナリズムとまったく同位的なものであり、一方がたんに日本的「自然」信仰を、日本的「自然」理念におきかえたのにたいし、一方が、大衆「ナショナリズム」に手を触れずに、頭脳のうえにつくられた架空の「観念」とその「現実」運動の植え替えにすぎなかった。題目ばかりは立派でありながら、その現実が無惨な圧制の道行きと付着したという点でもまったくおなじである。

天皇制という軟体動物のような代物は、いうまでもなく大衆のアモルフな「ナショナリズム」の逆立ちした鏡であり、法的な規定に入ってくるかぎりにおいて国家権力に介入している。したがって、橘が出発した点とは反対に、資本制の消滅とともに社会的、経済的な基盤と権力を消失する同体の存在にしかすぎない。なぜ、橘・北・大川らに象徴される農本的ファシズムは、一様に天皇と資本制を、別々にあつかうという錯誤におちいったのだろうか？

コミンターン二七テーゼは、天皇について他人の財布を覗きみするように、つぎのようにいっている。

天皇はただに厖大な土地を私有しているばかりではない。天皇はまた幾多の株式会社・企業連合の実に多額の株を所有している。最後にまた天皇は、資本金一億円のかれ自身の銀行を持っている。

三二テーゼは、つぎのようにのべている。

一八六八年以後に日本に成立した絶対君主制は、それの政策には幾多の変化があったにもかかわらず、絶対的権力を掌中にたもち、勤労階級に対する抑圧と専横支配とのための、その官僚機構を不断に完成してきた。日本の天皇制は一方主としては地主なる寄生的、封建的階級に依拠し、他方にはまた急速に富みつつある貪欲なブルジョアジーに依拠して、これらの階級の上部と極めて緊密な永続的ブロックを結び、かなりの柔軟性をもって両階級の利益を代表しながら、同時にまたその独自の、相対的に大いなる役割と、わずかに似而非《えせ》立憲的形態で軽く覆われているに過ぎぬ、その絶対的性質を保持している。自分らの権力と収入を貪欲に守護している天皇主義的官僚は、国内に最も反動的な警察支配を維持し、なお残存するありとあらゆる野蛮なるものを、国の経済および政治生活において維持せんがために、その全力をかたむけている。天皇制は国内の政治的反動と封建性の一切の残存物との主柱である。天皇主義的国家機構は搾取階級の現存の独裁の鞏固な背骨をなしている。これを粉砕することこそ、日本における革命的主要任務の第一のものと見なされねばならぬ。

二七テーゼは、天皇の物質的生活の基礎が、大地主であり、それ自体大ブルジョアであることをのべているにすぎないが、三二テーゼにいたって、大土地所有者と資本制を代表するそれ自体独自の権力としてとらえられている。ここには法的な国家規定の要素が介入してくる。資本制における階級対立からつっき出され疎外された幻想としての天皇制が、封建的な階級対立（地主と小作人）をも随伴しているというふうに理解されている。この理解は、コミンターン的（スターリン主義的）天皇制理解としては、クーシネン報告とともに、頂点にたつものである。

ところで、この理解は、昭和の知識人「ナショナリズム」によって、裏面から肯定的にとらえられた天皇制理解に比べて、けっして優れたものとはいえない。たとえば、橘樸によってとらえられた天皇制は、それが資本制支配、封建的支配の残存物を象徴するだけでなく、アジア古代的な、アモルフな大衆の共同性をも、強大な要素で包括するものと考えられている。橘の理解がどのような負価を負うものとしても、マルクスのいわゆる地理的（孤島）、風土的（モンスーン的）、農耕的環境の特性によって形成された日本の大衆「ナショナリズム」と、その逆立ちした鏡である天皇制支配の古代共同遺制の存在を、よく認知したという点で、その理解は、三二テーゼにたいし一歩を先んずるものであったといいうる。かくして、コミンターン＝テーゼが、天皇制の封建的要素の強大さに幻惑されて、当面の革命を社会主義革命への強行的転化の傾向を持つブルジョア民主革命と規定したように、古代共同体遺制の強大さに幻惑された日本の知識人ウルトラ＝ナショナリズムは、資本制打倒による、大衆の古代的共同体社会、アジア共同体社会の実現に、その「昭和維新」（革命）の目標をさだめたのである。残念なことに、現在の理論の水準で、ここには二色の錯誤があったというほかに言葉がない。コミンターン的錯誤と、ウルトラ＝ナショナリズム的錯誤と。

国家の権力が、権力としての実体構造をもって、実存するゆえんは、コミンターン三二テーゼのような二分割をも、日本のウルトラ＝ナショナリストによる復古共同体への還元をもゆるさないし、また資本階級と労働階級との生産社会的対立への単純化をもゆるさないものである。古代アジア的といい、封建的といい、独占資本的といい、それを国家権力の実体としてかんがえるかぎりは、たんにどの要素が主要であるかを示すだけであって、その実体のなかには、原始共同体いらいの、すべての要素を包括するものとして存在している。

したがって政治革命の標的として考えられる国家権力は、これらのすべての包括的要素と、現存する主要な要素（資本制）との交点に錯合する利害の共同性として想定すべきであって、この地点から、知識人のコミンターン＝インターナショナリズムとウルトラ＝ナショナリズムによって現在まで提起されてきた「革命」論争は、根柢から批判されねばならない運命にあるといえる。

いまにしておもえば、わたしの敗戦体験のもっとも重要な核のひとつは、知識人「ナショナリズム」として思想化された日本のウルトラ＝ナショナリズム思想が、その美麗なスローガンの裏面に醜悪な現実をもっていたという程度にすぎなかった。徹底抗戦のスローガンの裏面には、無条件降伏の現実が付着するということであった。これは日本の知識人のインターナショナリズム思想（スターリニズム・リベラリズム）の世界革命のスローガンがその裏面に醜悪な政治的虐殺と、怯懦で卑屈で狡猾な傍観的エゴイズムをふくむということとまったく表裏してあらわれた。わたしはそこで、日本の知識人ウルトラ＝ナショナリズムの、掌をかえすようなデモクラティズムへの転身と、社会ファシズムの掌をかえすようなスターリニズムへの転身をみた。また、知識人ウルトラ＝ナショナリズムが、ごく少数の例外をのぞいて、依然として知識人として生き延びる恥じなき光景をもみた。わたしは、現実とはかくのごときものであるか、という最初のリアリズムへの覚醒を、もっとも大きく敗戦体験として保存したとおもう。このリアリズムを欠くという点で、知識人「ナショナリズム」と、知識人インターナショナリズムは別のものではありえない。

知識人「ナショナリズム」（ウルトラ＝ナショナリズム）の敗戦における挫折と、知識人インターナショナリズム（スターリニズム＝デモクラシー）の満州事変による挫折とを比較するばあい、いずれか一つを優位としてみるというかんがえを、わたしは承認しない。それらは、否定的な媒体として同位性をなすものである。

おなじように、第二次大戦の敗戦による、知識人「ナショナリズム」の消解の仕方と、知識人インターナショナリズムの復元の仕方を承認しないということは、わたしにとって戦後期における思想の主要なテーマであった。

たとえば、わたしが日本古典の読み方を教えられたのは、国文学者からではなく、保田与重郎・小林秀雄などの戦争期の仕事からであったが、本気で腰を入れてよんだのは、じつは、敗戦直後からである。書物というものは、おおよそぎまん的なものではないかという意識から、本棚に並べてある本が、見るのもいやになり、リュックサックに背負って神田へ売りに行き、その代りに国訳大蔵経と、文庫本の日本古典をできるだけかって読みふけった。わたしが、このとき感じた本質的なことは、恐らく「書く」という行為の結果は、それ自体がすでに、現実の「事実」から異った次元に属するという哲学だったのだが、当時はそれを洞察することができず、理想というもの、美辞というものは、現実と異るものであり、思想は死に、世界の観念が死んでも、生身の人間は死なないかぎり、食べ、金をあつめ、生きるものだ、というようなリアリズムであったらしい。もし、「書く」ということの本質がなんであるかを知っていたら、それらの書物を売りはらい、後年、文献として、また買いあさるという愚はしなかったろう。わたしが、スターリン主義者、記録主義者、プラグマチズムにたいして感ずる最大の不信はこの点である。

敗戦後、キリスト教文献、聖書、キリスト教にひかれたのはその直後である。マルクス、その他古典政治経済学の雑読をやったのもその後である。

したがって敗戦後、直ちに復元をはじめたスターリン主義的な現実運動や、デモクラティズムに惹かれることはなかった。わたしは、戦後、現実の労働組合運動をやっては追われ、ということを数年おきに二回くりかえしているが、戦争期に、社会ファシズム・農本ファシズムに結晶せざるをえなかった社・共を中心とする擬制的政治運動と現実上共働しても本質的に惹かれたことはない。わたしは、自分で思想の通路をつくりたかったし、それをつくりえなければ、わたしたちの年代は、本質的であればあるほど思想的にも、現実的にも生きられない、というふうにおもわれた。社・共を頂点とする戦後スターリニズム運動は、わたしの年代の本質性を生かすように存在しなかったし、いまも存在していない。しかし、わたしは戦後に生きたのであり、生きているかぎり、戦争の死者だけは非難することなく、その錯誤を自己媒体として思想的に生かすという方法を講じてきた。たとえば『戦艦大和の最期』をかいて、見事に死にうるものが、最高の人間的価値をもつという日本的「自然」信仰の世界を、体験者として描き、またそこから偶然に生者の世界にもどされた吉田満が、善良な銀行員となり、キリスト者となったという経路が、よく理解できる気がする。わたしは、けっして、そんな道をとらなかったし、とろうとも思っていないが、それはこの著者が、よく戦争で死に切り、わたしが全部は死にきれない戦争体験を経たというまったく偶然の差異にしかすぎないものである。

わたしは、シスモンディ、サン＝シモン、フーリエ、プルードン、バクーニン、マルクスなどから思想的な恩恵をうけたが、日本マルクス主義運動や、民主主義運動から恩恵をうけていない。かれらが行なっている古典マルクス主義（スターリニズム）の系譜化は、必ず解体し、止揚されるということを固く信じている。反省する能力なき家系意識は、生きる能力がないものである。

しかし、恩恵はなくとも、惰性の世界はある。わたしが、戦後の古典マルクス主義とその周辺の進歩主義と、決定的に訣別しようと心にきめたのは、安保・三池闘争以後である。わたしが、そこで体験し、眼の前に見たものは、つい百メートルの眼の前で、官憲から叩かれ、血にまみれながら闘っている青年たちを見ながら、大衆のそのたたかいへの参加を阻止して立ちふさがり、「整然たる」デモ行進へ追いやった日本共産党とその周辺の進歩運動の姿であった。もしも、戦略と戦術に具体化されてあらわれる日本の大衆と知識人の反権力思想が、かかることを冷厳に行ないうるものであるならば、幾多の転向と挫折をくりかえしてきた、明治以後の近代日本の思想にとって喜ぶべき厳しさであるとおもう。わたしも、またそれまでは、恩恵なき存在であるというにすぎなかった日本共産党とその周辺にある進歩派市民主義者の思想的誤謬による崩壊の姿を、手をかして加担することなく冷厳に見送らねばならぬ。もちろん、わたしの「自立」思想の展開が、日本の大衆と知識人にたいして無限責任を負うという意志を前提としてである。わたしは、それを契機にして、日本共産党や進歩主義とあいまいな妥協を繰返している文学的な同志たちと、訣別した。かれらは、個人としてどんなに優れていても、善意に富んでいても、わたしとは一切無縁である。

かくして、わたしの貧弱な歩みと、激しい思想のトレーニングは第二の段階にはいった。わたしは戦争世代を自己離脱し、それらの運動を克服するために、ここ数年を歩んできた。

現在の段階でかんがえると、日本の知識人ウルトラ＝ナショナリズムの美麗なスローガンの背後に、醜悪な現実が付着していた、というリアリズム覚醒の形で訪れた敗戦体験は、ただ古典「ナショナリズム」（ウルトラ＝ナショナリズム）と、古典インターナショナリズム（スターリニズム）を否定的媒体とするための、前提をなすにすぎない。わたしたちが、戦後包括し、止揚しなければならない課題は、未知なものをふくめて、これよりもはるかに広範にわたるはずであるが、いま確かにそれを指摘するだけの力量が、わたしにはないのである。

5　戦後ナショナリズムの問題

わたしのかんがえでは、戦後日本の知識人「ナショナリズム」の思想的な展開は、おおよそ二つの側面からかんがえられる。ひとつは、竹内好・丸山真男・久野収・鶴見俊輔・橋川文三・藤田省三などによって代表されるもので、その特色は戦争体験と知識人インターナショナリズム、ウルトラ＝ナショナリズムの転向体験を検討しつつ、そこから戦後における思想的な王道を探るという方法意識に要約される。

もうひとつは桑原武夫・加藤周一などの近代主義的な外国文学者による日本の近代文化の様相の検討をつうじての「ナショナリズム」の方向づけである。

前者のばあい、その方法と展開とにそれぞれ固有性が存在するが、その根柢にあるものは、大衆「ナショナリズム」に、いかにして知識的方法から接近するか、大衆「ナショナリズム」は、いかにして、裏目につねに醜悪なリアリズムが想定されるというような形ではなく、土着性としてとらえうるかという問題意識につらぬかれている。その方法は、大なり小なりプラグマチズム的である。たとえばもっとも鮮明な問題意識をもつ鶴見俊輔のばあいをとれば、アメリカ＝プラグマチズムの方法を、日本の大衆「ナショナリズム」の定着に試みるという形がとられる。竹内好のばあい、中国・東南アジアにたいする戦争と、アメリカに対する戦争とを、太平洋戦争について区別することによって、大衆「ナショナリズム」の土着化の課題に接近しようとする。久野収・橋川文三・藤田省三などのばあいは、戦後マルクス主義が捨ててかえりみなかった近代日本の「ナショナリズム」思想を深く再検討することによって、この課題に間接的に接近しようとする態度が、古典マルクス主義・リベラリズム・ナショナリズムの転向体験・戦争体験・天皇制問題の追及を通じて貫徹されようとする。

たとえば、このうちもっとも異邦的な鶴見俊輔の方法を「日本知識人のアメリカ像」を通じて考えてみよう。かれは、まず、日本知識人の「ナショナリズム」が生みだす虚像についてアメリカ観を軸にして語る。戦争期に鬼畜米英論をかいた知識人は、戦後、日本共産党の排外民族主義路線に便乗して、「ことしこそ国の内外／力を合せ／われわれを戦争地獄に追い立てる／あぶらぎった白鬼どもを逆に／地獄にたたきこめ」（『アカハタ』昭28年1月1日号　赤木健介）というような米国観を披瀝する。それらは、虚像として同一である。青年時代、大なり小なりアメリカから影響をうけたり、アメリカへ留学したことのある知識人たちも、戦争・戦後にかけておなじような虚像を披瀝していることを鶴見は指摘する。（この指摘は現在、日共および「新日本文学」的、あるいは構改派的進歩派にとっても妥当する。かれらの、ライシャワー文化攻勢という言葉は、ソ連・中国にたいするかれらの虚像を写す鏡である。）

ところで、日本にも、米国にも、ソ連や中国にも虚像をもたないというリアリズム覚醒を敗戦体験としたわたしには、「虚像」を「虚像」で打つという進歩派にも保守派にもあまり関心がない。いずれ虚像は死に、かれらが現実へひきおろされるとき、思想の土着化の課題が、かれらにやって来なければならないのだ。

わたしの敗戦体験は虚像から覚めるという形でおとずれたことを示す、一例を挙げよう。敗戦直後、米軍が進駐したとき、どんな目にあうのかと緊張したおもいで、動員——疎開の地方体験から、東京の街へかえってみて、米軍兵士がガムなどを噛みながら有楽町の雑踏を銃を肩にかけてぶらぶら歩いているのを視て、ああ、おれの現実認識はどこかちがっていたな、と感じた覚えがある。この一例は、わたしにとって普遍的な体験のほんの一つをなすにすぎない。したがって、虚像が、アメリカについて指摘されても、ソ連・中共について指摘されても、日本のスターリニズムやファシズムについて指摘されてもわたしには、すでに自明のことで、それほど迫力のある意味はない。

鶴見の指摘する方法が、わたしにある熟考をせまるのは、つぎのような点である。

この条件下で、(この文の前に徳田・志賀の『獄中十八年』からの引用があり、そこにはアメリカ空軍の空襲のさいの拘禁所内の混乱ぶりが語られている。——引用者註) 天皇ならびに役人たちは日本人であるという理由だけで友であるか? 日本を攻撃するアメリカの飛行機は、敵であるか? 私は、そうは思わない。この条件下で、獄中で日本の軍国主義とたたかっていた日本人は、日本の権力者にたいするよりも、アメリカ人と結びついていた。このような結びつきは当時可能であったごとく、今後も、条件の変更によっては、日本人とアメリカ人とのあいだに起りうることなのだ。このことの認識をぬきにして、虚像を建設することだけは、はっきりと排除したい。

この見解は、当然、ソ連や中共やアメリカが友であり、日本の大衆は敵であるということが、条件次第では可能であるという認識をふくむものである。わたしは、ソ連や中共やアメリカにどんな虚像ももたないことを代償として、日本の大衆は敵であるということが条件次第では可能であるという認識にたいしては、鶴見の断定に反対したい。あるいは、あるはにかみをもって、沈黙したい。インターナショナリズムにどんな虚像をもたないということを代償にして、わたしならば日本の大衆を絶対に敵としないという思想方法を編みだすだろうし、編みだそうとしてきた。井の中の蛙は、井の外に虚像をもつかぎりは、井の中にあるが、井の外に虚像をもたなければ、井の中にあること自体が、井の外とつながっている、という方法を択びたいとおもう。これは誤りであるかもしれぬ、おれは世界の現実を鶴見ほど知らぬのかも知れぬ、という疑念が萌《きざ》さないではないが、その疑念よりも、井の中の蛙でしかありえない、大衆それ自体の思想と生活の重量のほうが、すこしく重く感ぜられる。生涯のうちに、じぶんの職場と家をつなぐ生活圏を離れることもできないし、離れようともしないで、どんな支配にたいしても無関心に無自覚にゆれるように生活し、死ぬというところに、大衆の「ナショナリズム」の核があるとすれば、これこそが、どのような政治人よりも重たく存在しているものとして思想化するに価する。ここに「自立」主義の基盤がある。

スターリニズムの影響下にそだった戦後の若い知識層のうちには、一連のプラグマチズム系の学者・思想家による大衆「ナショナリズム」と知識人のウルトラ＝ナショナリズムにたいする汎アジア的または、汎西欧的なインターナショナリズムからする検討の試みと方法の発掘を、過小評価するものがいるのはたしかである。しかし、スターリニズムは、プラグマチズムほどにも自己のスターリニズムの否定的な意義を検討しようと試みてはいない。それらは、大体解体期にあるとはいえスターリニズム（コミンターン＝インターナショナリズム）系統が、世界の半分を現政治勢力として支配しているということに、何か意味があり、力があるかのように錯覚し、安堵してそのような検討に手を触れようとしないというのが現状である。しかし、スターリニズム系統の思想と政治勢力（フルシチョフ・毛沢東・トリアッティ主義とその同伴の進歩派）は、いかに平和共存や、資本主義との平和競争のうちに、未来の世界史の動向を構想しようとしてもそれ自体が背理であり、かれらは、資本主義との核戦争以外に、世界史の未来を支配することはありえないのである。わたしは、これらの虚像を、資本制に対する虚像とおなじように否定する。それは、大衆「ナショナリズム」の土着化（裏目なしの地点への下降とその思想化による上昇）の立場である。

戦後、知識人「ナショナリズム」のもう一つの系譜は、現在まで桑原武夫・加藤周一・上山春平などの近代主義的な西欧文学者・思想家によって唱えられている。これらの論の基礎となっているのは、戦後、日本の資本主義が、西欧なみの近代性を獲得し、近代国家という概念が成立しうるようになった、という認識をふくむものである。

加藤周一の「日本文化の雑種性」は、この基盤のうえにたった西洋紀行の文化的な反省の体験から成り立っている。

西ヨーロッパで暮していたときには西ヨーロッパと日本とを比較し、日本的なものの内容を伝統的な古い日本を中心として考える傾きがあった。ところが日本へかえってきてみて、日本的なものは他のアジアの諸国とのちがい、つまり日本の西洋化が深いところへ入っているという事実そのものにもとめなければならないと考えるようになった。ということは伝統的な日本から西洋化した日本へ注意が移ってきたということでは決してない。そうではなくて日本の文化の特徴は、その二つの要素が深いところで絡んでいて、どちらも抜き難いということとそのこと自体にあるのではないかと考えはじめたということである。つまり英仏の文化を純粋種の文化の典型であるとすれば、日本の文化は雑種の文化の典型ではないかということだ。

ここから、加藤周一は文化の純粋日本化運動も、純粋西洋化運動も結局は、成就不可能であり、この雑種性を、積極的な契機に転化してゆくより道はないと結論している。このような近代主義的な西欧文学者・思想家の反省は、いかに位置づけられるものであるかは、わたしのいままでの論述から明瞭であるとおもう。これらは近代日本の知識人「ナショナリズム」の抽出過程と、その裏目にリアリズムの認識として対立した日本知識人のインターナショナリズムに対して、日本の社会・文化の実体構造を、まず実体構造として前提としなければならぬ、ということを主張しているのである。日本の国家（ネーション）を、資本制の社会構造として独自に存在している実体であることを認めるべきだとする論理である。このような見解は、戦争期の知識人のウルトラ＝ナショナリズム（天皇主義）とウルトラ＝インターナショナリズム（スターリン主義）の体験を経て、もっとも近代主義的な西欧文学者・思想家の手によって唱えられたという意味で、戦後的なものといえよう。

この種の戦後知識人の「ナショナリズム」を政策論として表現したものとして、現在の上山春平の「再び大東亜戦争の意義について」（『中央公論』昭和三十九年三月号）の一節を挙げることができる。

新しい国家体制にふさわしい新しい防衛体制の基本的特徴について、今、私の念頭にあるのは、つぎのような諸点である。

㈠ 国の政治的独立を維持するに必要な、徹底的に防禦的で、住民の分業的生活体系と密着した、国土の外では機能しえない、非侵略的組織であること。

㈡ 国の独立と安全をおびやかす人災ならびに天災に適時対応しうる体制をととのえることを目標とし、仮想敵国は想定しないこと。

㈢ 国民の総員が、生活時間の一部をさいて、何らかの仕方で参加できる権利と義務をもつこと。

㈣ 総ての国民が短期間ずつ参加しうる組織を維持し、改善するために、事務局ないし専門機関が必要となるが、そのメンバーは一般公務員とし、一般国民にたいする助言者および奉仕者としての立場を明確にし、旧軍隊における職業軍人の徴募市民にたいするような関係が再現しないようにすること。

㈤ 事務局ないし専門機関は内閣総理大臣の直属とするが、運営に当っては、超党派的な議会の防衛委員会（議員外の専門委員をふくむ）の協議を経る等、党利党略に左右されぬよう最大の注意をはらうこと。

㈥ 国民は防衛義務の履行に当って、その体力、能力、志望等に応じて、技能をみがきながら、全国民的規模における防災（人災ならびに天災の防禦）体制の維持に貢献しうるような多角的な機構と設備を国家に要求しうる権利をもつこと。

(七) 従来、分散的に処置されていた防災事項安全関係事項一般を総合的に研究する機関をもうけ、その総合的な対応処置を重点的に実行すること。

こういう論議は、日本の資本制が近代的な意味での国家（ネーション）を形成しうるまでに到達したという現状認識と、自己の戦争体験の総体的肯定と部分的修正をもとにして成立している。それは戦後知識人「ナショナリズム」の一表現である。

わたしは、上山春平のこの到達点を、安田武の近代主義的な「戦争体験論」や、解体期スターリニズムとの融着をすすめつつある井上光晴の文学表現とともに、戦争世代の面汚しであるとおもう。わたしは、人を唖然とさせることが嫌いではないが、上山春平のこの国土防衛論は、もっともわたしを唖然とさせる。わたしのなかに潜在している戦争世代の同窓会意識を、どんなにかきたてても、感応するものはふくまれていない。いったい、この社会の現実は、上山春平の脳髄のなかで、どういうことになったのか？　かつての海軍士官は、こういう結論に到達するために、戦後知識人の思想史を歩んできたのか？　ここには、戦争世代が全力をあげて、生命をあげて粉砕すべき処方箋しかしめされてはいないのである。この上山春平の見解は、ある意味で戦争期知識人のウルトラ＝ナショナリズムからの後退であり、また、ある意味で解体期スターリニズム（構改派）との合流をふくむ戦後知識人「ナショナリズム」の社会ファシズム化である。林房雄が現在『中央公論』誌上で展開している「大東亜戦争肯定論」は、偏見を去って読めばこれと変らぬことを言っている。わたしは上山春平にむかって、階級観がないなどという次元のちがった点から物をいうほど野暮ではないはずである。

これらの近代主義者、戦争世代の一部、戦争期のウルトラ＝ナショナリストの近代主義との混合（林房雄）が、実体構造論として決定的に欠いているのは何であろうか？

それは、ただひとつ、現在、大衆の「ナショナリズム」は、一種の「揚げ底」のうえで、戦後資本制の高度化から思想的な現実の基盤を侵蝕され（農村の資本制化の進行）て、根拠と主題を失っているという意味を、かれらが、まったくたずねようとしない点に存在する。

戦後の大衆「ナショナリズム」は、ナショナリズムのウルトラ化もゆるされず、また、「ナショナリズム」の社会化もゆるされずに、その基盤である農村を戦後資本制によって収奪されているというところで、思想的なアパシー化をうけつつあるということができる。明治以後の大衆「ナショナリズム」は、「ナショナリズム」概念自体を喪失しているところに、現在、ナ、シ、ョ、ナ、ル、な実体をおいている。

この現状は、上山春平に象徴される近代主義知識人「ナショナリズム」による大衆「ナショナリズム」の資本制国家への統合のイメージをもゆるさないし、解体期スターリニズム知識人（構改派）のインターナショナリズムによる大衆「ナショナリズム」の吸収をもゆるさないものとして世界史的な連関のなかで存在している。

この大衆「ナショナリズム」の現状は、いぜんとして、戦後日本の資本制とその影の部分に亡霊のように存在している戦後天皇族の存在の仕方に、逆立ちした鏡を見出している。のぞき見の興味と、会社の重役にたいするような畏敬と、漠然たる自然感情による憧れと人気の象徴として、大衆「ナショナリズム」はみずからの鏡を支配層に見出している。

これらの大衆「ナショナリズム」の「揚げ底」化を、土着化にみちびく道は、政治的には、資本制支配層そのものを追いつめ、つきおとす長い道と、思想的には、大衆「ナショナリズム」の「揚げ底」を大衆自体の生活思想の深化（自立化）によって、大衆自体が、自己分離せしめるという方途以外には存在しないのである。そのとき、戦後知識人「ナショナリズム」による国民的統合のイメージと、戦後知識人のインターナショナリズム（スターリニズム・毛沢東主義・フルシチョフ主義・トリアッティ主義）による擬似社会主義化のイメージは、共に根柢から転倒され、止揚されるはずである。この考えは「自立」主義と他称されているが、それは名辞の問題ではなく、現実の問題に外ならぬのだ。妥協のない歩みは、長く困難につづくとおもう。

（吉本隆明編集・解説『現代日本思想大系4　ナショナリズム』一九六四年六月）

吉本隆明

鶴見俊輔

敗戦から二十年ちかくたって、私は、今、矢玉をうちつくした感じがしている。戦争中にたてた計画の九分どおりを終ってしまったし、これまでのところは、戦争中に自分に見えていたことと、あまりちがわなかったと感じられる。同時に、これから先の状態への見とおしが、自分に欠けていることを感じる。

戦争中の見とおしが戦後二十年の実際の動きとあまりちがわなかったというのは、敗戦後の日本におきる軍国主義批判がなまはんかなものに終るだろうという予想の部分についてである。その他のこと、とくに敗戦の時期と形とについては、私はまちがったし、その計算ちがいをもう一度追ってゆけば、私の日本認識の方法、私の認識の方法そのものの根本的な欠落に行きつくことができるだろう。それが、自分をこえるための一つの道だろうと思う。このことについては、あとで書く。

もう一つ、私の方法を全体として照らしだすものに他人の思想がある。吉本隆明の「ナショナリズム・解説」（『現代日本思想大系』筑摩書房、一九六四年）は、これまで以上に、自分の方法についての自覚をしいる力をもつ。この論文だけを手がかりとして、私の立場から吉本の議論を批判し、自分のいる場所を見さだめたい。

1

大衆の生活思想が、知識人ふうのものにすりかえられることなく、あくまでも大衆の生活思想として自立することが、吉本隆明のナショナリズムの計画である。ここで裏目なしの底にあたる部分となる大衆の生活思想は、理論上措定されるものとして吉本の理論の中にある。吉本は、その措定をしばしば実体と混同してはいないか。

言葉とその指示するものとはちがうというのは、論理学上の最も重要な原則のひとつである。これを説くのはたやすく、まもるのはむずかしい。この原則をまもることを強く主張したバートランド・ラッセルの論理学が、時としてこの原則を逸脱したことは、より若い世代の論理学者のクワインによってのべられている。

詩においては、言葉とものとが区別されないことによって、詩独自の世界が成りたつ。言葉はここでは「もの」そのものである。この言語上の約束から、詩は未開人の呪術とおなじように、力を発揮する。吉本が、詩人として、詩における言葉の魔力を、理論的散文の世界に、言語の約束上不当なしかたで持ちこんでいると、私は考える。この方法によって、定義はしばしば事実そのものとされ、措定もまたしばしば現実とされる。これを詩として読みとるものは、詩からうけとるヒントを、受け手みずからの心の中で、理論としてべつに構成することによって、吉本の措定を実体として信仰するあやまりをまぬかれるであろう。それだけの理論としての意味をも、吉本の詩的散文は兼ねそなえている。しかし、これを、科学論文とおなじく理論としてうけとる者にとっては、吉本の論文は、現実についての実証的分析を拒否する排他的信仰をつくり出す。

吉本にとっては、書く人間は、大衆そのものではない。大衆は、話すことと生活することとのあいだを往復し、ものを書く人間の書きのこす文献の世界には決して顔を見せることがない。それぞれの時代の大衆の実像は、ものを書く人間（知識人）の世界を完全に迂回して、それぞれの時代の支配者の状況と、それぞれの時代の大衆芸術の状況に屈折した鏡を求めて近似値的に接近するしかない。近似値的にでなく接近する方法は、「わたしたち自体のなかにある大衆としての生活体験と思想体験を、いわば『内観』することからはじめる以外にありえないのである。」

この方法は、大衆の現実に接近するための詩的方法としては成りたつ。内観によって構成される大衆の像が、措定であるということを忘れないかぎり、理論的方法としても成りたつ。しかし、措定であることが考える途中で忘れられて、この方法によって裏目なしの大衆の実像に達することができると考え、自分はそこに達したと考える時、この方法は、科学的方法とそむきあうものとなる。

「ナショナリズム・解説」の中で、吉本は明治・大正・昭和の流行歌についてするどい分析を試みている。それは、流行歌史の側から大衆の心情の歴史にせまるすぐれた仕事である。しかし、それはあくまでも、ひとつの足がかりにすぎない。もうひとつの重要な足がかりとして吉本が措定した明治・大正・昭和の支配者の世界が、それぞれの時代の大衆の心情をいかにさかだちして表現しているかについては、吉本は今日までに、流行歌の分析におけるほどあざやかな実証的分析を試みていない。流行歌の分析だけを足がかりとし、それに吉本自身の心情の中で内観的に構成されたイメージをみちびきの糸として、吉本は、日本大衆の生活思想そのものに近づいてゆく。どんなにささやかないとぐちからでも、対象に近づくことはできるという意味において、この方法は成りたつ。しかし、この方法とそれによってあげたいくつかの堅固な実績だけをもとにして、これが日本大衆の実像であると主張することは、科学的論証としては成りたたない。このような単純な真理が、今日の日本の独立左翼の論壇およびそれにつらなる大学生の社会において通用しないのは残念である。私は、新聞の学芸欄や総合雑誌からすでにしめ出された独立左翼の論壇に、新聞や大雑誌に発表する機会を持つ保守派・良識派の言論以上に期待をかけているので、このような単純なあやまりがとどまることをしらずにくりかえされてゆくのを見るのは、なおさら残念だ。

わたしたちが大衆の「ナショナリズム」としてかんがえているものは、この表面と裏面の総体（生活思想）を意味するもので、何らかの意味で、その表現にすくいあげられている一面性を意味しているものでないことを強調しておかねばならぬ。

このように吉本が言う時、生活思想とは、せめぎあうさまざまの心情と意味とを同時に託された根元的現実を意味する。この根元的現実は、実証的方法のかなたに措定される。実証的方法によってなにかの明白な命題のかたちにかえられたものは、そのもととなった根元的現実の総体を完全に置きかえることはできない。生活思想は、明白な意味を持つ表現に置きかえられることをとおして、その根元的なかたちからひきはなされてゆく。生活思想についてしゃべるということそのものが、すでに生活思想をいくつかの紋切り型表現に屈伏させることによって、生活思想をその根元的なかたちから遠ざける。その生活者が、同時代の知識人の文体に影響されて記録を書くことは、さらに彼らを根元的な現実から遠ざけるであろう。書かれた記録が、大衆の生活思想そのものから遠いということは、正しいと思う。同時に、書かれたこととしゃべられたことは、共に明白に記号としての性格を持つことによって、生活思想の根元的現実からひきはなされているのであり、書かれたことと話されたことが共に根元的現実に対して持つ断層が、吉本の理論においてもっとするどくとらえられなければならない。そのことがなされるならば、吉本の理論は、単にこれまでの生活記録運動やサークル運動に対する破壊的理論として有効なだけでなく、吉本の理論の現在のかたちに対する有効な批判ともなるだろう。

　吉本の理論は、基本用語の定義と措定のつみあげが、そのまま現実であるかのような幻想を抱かせる。カテゴリーの組みたては、理論の展開のはじめの部分を占めるにすぎない。理論がいかなる場合に実証的資料によって拒否されるかの条件を提示することが、その理論が科学的意味を持っているかどうかの境い目となる。この資格審査にかけて見ると、吉本のナショナリズム論は、科学的理論としての資格に欠けている。吉本が、彼以外の人びとの用いたカテゴリーによっては書きしるすことのできないほど見事に、詩ならびに流行歌の歴史を記述し、転向作家の著作を分析しえたことから、このかぎられた素材の処理においてすでにたしかめられた彼の考えかたが、詩の歴史や転向文学論よりも広い領域においてわれわれがものを考えるための重要なヒントになることは認めることができる。しかしそれは、ナショナリズムならびに大衆論については、ひとつのヒントであるにすぎない。

吉本の理論においてカテゴリーがしばしば現実と混同されるという事情が、吉本の理論に異常な純粋性を与えている。吉本のよく使う「擬制」という言葉の学生のあいだにおける流行は、吉本の理論の純粋さが学生の純粋好みと結びついたひとつの実例である。あらゆる擬制は倒れる。この提言は、「すべてのニセモノを倒せ」というスローガンに読みかえられて、強いアッピールを持つ。しかし、擬制に対立するものとして真制が置かれる時、それは、現在の日本の社会状況においてわれわれが仮りのものとしてつくり出す試みをすべてつぶしてしまうこととなる。私は、よりよき可能性をになうと考えられる試みをなるべく多く、同時に支持したいという考えに与するので、恒久的性格を持たず、しばらくの役にしかたたないかもしれない代用品のような説をも、過去の失敗のつみ重ねに照らしてよりよいものと考えられれば、つぎつぎにそれを支持したい。

2

吉本は、「ナショナリズム・解説」の中で、私の書いた「日本知識人のアメリカ像」という文章をつぎのように批判した。

わたしは、ソ連や中共やアメリカにどんな虚像ももたないことを代償として、日本の大衆は敵であるということが条件次第では可能であるという認識にたいしては、鶴見の断定に反対したい。あるいは、あるはにかみをもって、沈黙したい。インターナショナリズムにどんな虚像をももたないということを代償にして、わたしならば日本の大衆を絶対に敵としないという思想方法を編みだすだろうし、編みだそうとしてきた。井の中の蛙は、井の外に虚像をもつかぎりは、井の中にあるが、井の外に虚像をもたなければ、井の中にあること自体が、井の外とつながっている、という方法を択びたいとおもう。

この批判は、まとに当っている。この批判にはある種の節度があって、それは、やわらかくたたかれただけに、たたかれた者にはかえってこたえる。私は戦争中の自分の日記を読みかえして、一九四三年一月十三日の記事につぎのように書いてあることをみつけた。

夜、マレイ語。
夜、角谷さん見ゆ。戦争が終えたら、又アメリカに行って、勉強することを約す。

角谷さんは、数学者の角谷静夫のことで、戦後アメリカにもどって、現在はエール大学教授である。もうすこし後のところに一月十九日の記事でこういうことが書いてある。

日本にいると井の中の蛙になる危険がある。頭のおさえ手がいないか、あるいはすくないから、自然いい気になって、せっさたくまをおこたり、行きづまってしまう。殊に哲学などでは、その危険がおおいにある。若いうちに是非もう一度日本を出て、一生けん命勉強してこなくてはいけない。銘記すべし。戦争が終ったら、必ずもう一度行く。

これは、吉本の批判と点対点的にみあう、私の中のもろい部分である。「井の中の蛙」というおなじたとえが、吉本の批判にも私の文章にも登場し、私の文章の中ではありきたりのつまらぬ意味につかわれ、吉本の文章ではそのたとえの意味が逆転されて、おなじたとえから新しい高い意味が引き出されている。

このもろい部分を、この日記を書いた当時から二十二年目の今日、私の思想は、いくぶんかはひきずっているであろう。そのかぎりにおいて、吉本の批判は今日の私の思想に対しても批判として当っている。

柳田国男は『故郷七十年』の中で、自分の生まれた家が、その間取りや生活問題の型をふくめて、明治・大正時代の日本の標準的な家庭であり、日本の問題を考える時には、いつも思い出の中で子供の頃にさかのぼってゆけば、最も単純化されたかたちで現代の複雑な問題の原型に帰ることができ、それを手がかりとして複雑な問題を整理し説明することができると説いている。これは、理論構築の際に、理論上の必要から作為によってつくられるモデルとちがって、みずからの生活史の中に与えられたものとして自然にあった事実が、そのままモデルとして理論を組みたてるのに際して役立った例である。

明治以後の日本の学問の歴史において、日本の学者はその学問の基礎的部分にあたる用語の定義と理論モデルについては、すべて外国の学者から借りるということを慣例としてきた。長岡半太郎の原子模型とか、今西錦司のクワンのバトンわたしとか、例外はあるが、日本の学問のつくり出したモデルの数は意外にすくないし、自分で自分の用語を定義し、自分の理論のモデルをつくろうという意欲が欠けている。だからこそ新型の学術用語と新型の理論モデルを、外車の輸入とおなじようにつぎつぎに輸入しては使うようになるので、これが日本の学問の流行性とその転向しやすさの原因となっている。

柳田国男の場合には、アダム・スミスの経済人とか、マルクスの商品の分析、ミードの犬のけんかの分析などのように作為によってつくられたモデルとちがって、自然にできたモデルではあるが、それがモデルとして柳田の理論のいたるところに使われ、それに活力を与えている。柳田の学問の非転向性も、そこにひとつの源泉を持つ。吉本隆明の場合、戦争体験が、自然に与えられたひとつのモデルとしての役割をはたす。私は、柳田と吉本とに避けがたくはさまれているのを感じる。

私も戦争体験を持ち、それが一九四三年一月に持っていた当時のインターナショナリズムの性格を変えたのだが、それは、戦後もなおインターナショナリズムとして、吉本の考えるナショナリズムとは向きあうところにいる。

戦争中私はアメリカを愛しており、おそれをもって日本で暮らした。陸軍の大尉が酒の上での座興だが、軍刀をぬいて刃を私の首すじにあてて、アメリカ思想を持っているから首を切ると言って、ゴシゴシこするまねをしたことがある。その時の不安は、かすかなこだまとなって、昨年（一九六三年）十一月にかえってきた。ケネディが暗殺された時、日本のテレビ、新聞に出てくる日本人が、学者、評論家、ジャーナリスト、政治家、通行人、家庭婦人を問わず、ケネディをいたみ、ほめたたえたのを見た時のことだ。ある人などは自分がケネディにかわって死にたいと言っていた。偶然私は電話がいくつかかかってきた時いなかったので、ケネディ暗殺についての意見を公表することがなかったが、もし自分の意見がほかの人びとにまじってあらわれたら、私は袋だたきにあうかもしれないな、と思った。ケネディについて批評する場合に、当然に亡命者のキューバ進攻作戦が成功すると考えたその判断のまちがいにふれなければならないと思うし、彼が死んだ時であっても、公人に対する批評である以上、その点を逸することはゆるされない。しかし、日本の新聞、ラジオ、テレビ、ならびにそれらに協力する人びとは、それにふれることをしなかった。それは大衆ではないと吉本は答えるかもしれない。ケネディなどに無関心な人びとが大衆の中にあるということはたしかだ。戦争の最中も、戦争目的を本気では信じない人びとが大衆の中に少数者としていたことを、私は今では理解する。しかしそれは大衆の中の少数者の可能性ということであって、大衆全体の傾向ではない。

私にとっては、アメリカ人よりも日本人のほうが絶対的に親しいといった、そういうぬきさしならない感情はない。私が考える意味でのアメリカの理想をつらぬくためには、アメリカにいるより日本に住んでいるほうが適切なのだと考えて、日本に住みつづけることをえらんだ。もう一度アメリカに帰って勉強しようという計画を断念したのは、戦後かなりたった一九五二年で、この時にもアメリカ的理想から日本的思想にうつったというしかたでの決断ではなかった。しかし、アメリカ思想のよい部分だと私が考えるものが、現実のアメリカ政府・知識人・大衆の思想からはなれたものになったので、自分の固執するアメリカ思想が、地上のどこにも実体的なささえを持たないものとしてうきあがってしまった。そうしたうきあがった状態に自分を結びつけたまま、いま生きている。

つきつめてゆくと、アメリカ思想といい、日本思想といい、両者に共通な意味の核がある。ロシア思想、中国思想、キューバ思想、ポーランド思想においてもおなじだ。その共通の核は、ひとつからひとつへの翻訳——誤解と曲解とのつみかさねの上にだんだんにあきらかになってゆく。私は、日本の生活綴り方の運動の中に、アメリカのプラグマティズムを読みこむことを通して、曲解をふくめながらも新しいモデルをつくり出そうとした。こうした努力は、対照思想史的な方法として組織的にあきずにくりかえされてゆくならば、なにごとかを生みだすだろうと私は信じている。それは十分の実績の裏づけをともなわない信仰の告白にすぎないが、こういう努力が何人もの働き手によってくりかえしておこなわれるならば、今は現実の中にささえを持たず、浮きあがって見えるような思想も、なんらかの容器を未来に見出すことができるかもしれない。日本の大衆を絶対に敵にまわさないような思想を自分は編みだそうと思う、という吉本の計画に、私は私なりに別の仕方で近づくことを試みたい。

最後に、これはつまらないことなのだが、学生時代に哲学史を勉強してきた者として、吉本の議論のたてかたに、経験主義の論理を軽んじている点があることを指摘したい。昭和時代に入ってからの日本の学者が、右翼左翼ともにそのわだちにおちいっているように、吉本の議論にはカント→ヘーゲル→マルクスにいたる、カテゴリーの構成に重きをおく学風が伝わっており、それが言語をあるしかたで使って現実から切断された独自のものの世界をつくるというランボー以来の近代詩の伝統と結びついて、排他的な風格をつくっている。私は思想の系譜としてこのほかに、ヒュームからバークへ、ヒュームからライヘンバッハとラッセルへという経験主義の学風があることを指摘したい。この学風は、市民社会のあらゆる職業人の協力によって相互的な世界をつくるという伝統に裏うちされている。この学風がそれだけとして、それ以外の学風を排除するものとして成立することに、今日のいわゆる自由諸国の学界のせまさがあると思うのだが、この学風から吉本がふかくまなぶことを望む。

（『思想の科学』一九六四年十一月号）

書評：吉本隆明『丸山真男論』

梅原猛の「感情論の展望」に教えられたことだが、フォイエルバッハの唯物論は、人間の感情の分析と本格的にとりくんだ、「いきいきとした唯物論」であると言う。唯物論のもちうるこの性格はその後の唯物論の系譜のうちに見うしなわれた。

吉本隆明の戦後に発表した一連の思想史的エッセイは、同じ時期に日本の進歩派の学者たちの発表した思想史的エッセイにくらべる時に、きわだって、いきいきとした唯物論としての性格をあきらかにする。

吉本はだいたいにおいて、現代日本思想史のそれぞれの山脈の頂点にたつ人々をえらんで、これを、彼独自のイデオロギー批判の対象とする。戦時下の超国家主義をすすんで推進した知識人の一人としての高村光太郎。戦後の共産党の指導にみずからの思想の原理を妥協しつつあいまいな仕方でしたがう左翼知識人の一人としての花田清輝。戦時・戦後の両時期にわたって近代西欧の理想をかかげて目前の日本大衆からはなれたところから日本の政治を批判するななめ半身の姿勢をもつ自由主義知識人としての丸山真男。

とくに丸山真男の仕事を相手どった場合、丸山の仕事が、特定の感情の表出からへだたった性格のものである故に、かえって吉本の感情論からほってほりぬくという、イデオロギー批判の方法が、高村光太郎論や花田清輝論よりもすぐれた成果を収めた。

日本思想史のとらえかたに、一つの公道をつくったのが、丸山真男の仕事だった。この公道が、明治・大正・昭和の日本の西欧派知識人のすでにつくってきたワダチからはなれるものでないこと、丸山の道をとおってではもとと同じワダチにけっきょくおちいってしまうことになるということが、吉本の直感としてははじめにあり、これが彼に丸山批判を書かせる動機になったと思われる。

丸山を批判するいとぐちとして、吉本は、丸山の戦争体験を分析する。大東亜戦争下に一召集兵として、丸山が下士官兵に対してもった共感と反撥。演習のあいまに戦友とうたったなつかしい思い出。ルールなしで何か上からふってくるように突然に上官からしかられはじめる不可測な集団生活の形態への恐怖。そのなつかしさと恐怖をつくりだした主体的条件は、丸山の戦争にたいする態度——つまり、戦争の推進者にもならずさらばといって抵抗者にもならないという日本の自由主義知識人に特有の姿勢にある。この姿勢が、そのまま、戦後の丸山の日本大衆観に尾をひいてくる。丸山は日本大衆の思想からはなれて、それを外側から西欧の理念にてらして裁断しようとする。日本の大衆の思想的カテゴリーそのものから、日本の大衆の思想をとらえ体制批判への道をきりひらく方向をとることができず、あくまでも、西欧の近代をモデルとする虚構のふみ台を日本大衆の上高くにかけてから、そこから日本大衆を計り裁こうとする。

その丸山の態度は、同じく、ソヴィエトロシアをモデルとして日本大衆の思想を裁断しようとする日本共産党の思想にたいして、きわめて不徹底な批判をしめしながら同調するという結果をうんだ。丸山の方法によっては、スターリニズムは、相対的に劣勢を意識している革命団体における正統病としてとらえられ、一九三〇年代のソヴィエトロシアのおかれた特殊事情に還元される。それが、その時代とその社会条件をこえて、別の時代と別の社会条件に頭をもちあげうる深刻な病患としてはとらえられない。日本におこりうるものとしてのスターリニズムの構造は丸山の方法によってはとりあげられないことになる。

吉本によれば、スターリン主義は、スターリンたち最上層の悪しき権力者の思想ではなく、またその悪しき権力者にひきずりまわされるスターリン崇拝者としての大衆の思想でもない。現実の世界政治にいやおうなしに対面してみずからの政策の成功と失敗をとわざるを得ない最高権力者とはちがう中層の指導者、たえず大衆と接触せざるを得ない下層の指導者よりすこし上にある中層の指導者こそスターリン主義思想のにない手である。かれら中層の指導者こそ、とざされた思想の世界にみずからをとじこめながら、その精神的不毛の中でせいだしてはたらきつづけることができる。

丸山のスターリン主義への理解にみちた批判は、結局は、スターリン主義を根底からつきくずす努力への助けとはならず、かえってスターリン死後名をかえてあらわれているスターリン主義への助けをあたえる立場となる。こうした不徹底なスターリン主義批判とはちがって、日本の大衆の中に自立する道すじをとおした徹底的なスターリン主義批判をなしうる基盤が戦後今日の日本にあると吉本は信じる。

以上、日本思想にたいする丸山の接近方法、スターリン主義にたいする丸山の接近方法についての吉本の議論を、私は、うけいれる。この論旨に達する過程で、徂徠についての丸山のよみにたいする反論は、丸山の日本思想史研究が日本の文献の分析をとおして展開されながらも実は西欧思想史をモデルとする虚構をとおしての裁断であったということの説明として以外には、私には納得できなかった。しかし、この点は、吉本の丸山論の成否を決するポイントではないと思う。

丸山真男の日本思想観ならびに現代政治観が戦後日本の官僚機構内部の思考形態に吸収されつくしてしまう性格をもっていること――このことは日本の戦後の潮流から見て明らかになりつつある。あくまでも戦後日本の官僚機構内部の思考の中に吸収されつくしてしまわない思想の道をきりひらく必要が今ある。このことから、丸山の日本思想観・現代政治観にたいする反措定をおかなくてはならぬと、吉本隆明がきめたことは、理解できる。

丸山の思想は、彼個人の戦争体験と彼が西欧をモデルとしてつくった虚構との二者を土台として、日本の思想と政治のかなり深くまでを洞察することを可能にした。しかも、それは、最後まで、官僚機構内部の知恵としてとどまっている。官僚機構からしぜんに内容的にはみだし、にじみでてゆく方向をもたない。ここに、丸山の学問が安保闘争敗北後の日本においてもひろく官僚機構内部の日本の知識人にとって正統の見方としてとどまり得ている理由がある。

丸山真男の思想は、日本の知識人ののこした業績にたいする包括的理解にたつものである。この故に、丸山の思想を批判するのに、日本思想史上の文献にたいするより包括的な理解をもってすることは困難である。日本の学者たちの中から、すぐれた丸山批判がこれまでうまれなかったのは、この事情による。学者の集団とは別の境涯にある詩人・吉本隆明が、もっとも見ごたえのある丸山批判を書き得たのは、丸山の包括性を批判するのに、丸山と同じ感情的基盤の上にたつ、より大きな包括性をめざすことを以ってせず、丸山の包括性の底にひそむ感情の実質を特徴づけ、それによって見えにくくなるものを理論的に測定するという方法をとったことによる。

丸山真男は、日本の官僚、独占企業の幹部社員、大学教授、マスコミ内の報道家と感情的基盤を同じくする。この同じ感情的基盤の上に設置された道路は、結局は、一九四五年以前の日本の知識人のわだちから自由になり得ない。それと対置される吉本の思想の感情的基盤は、どうか。それは、それじしんとして、何事かを見えなくさせはしてないか。しかし、この問題を、みずからに問おうとしないことの中に吉本の立場の設定がある。自分の理論の包括性にたいしては、それを拡大することをはじめに拒絶しようとする。だから、包括性のわだちには、入らないのだ。吉本の方法によっては、体制の学はつくり得ない。体制批判の思想のみがつくれる。しかし、学として考えるならば、体制の学をつくり得て、さらにそれを包括する体制批判をつくり得ることが、依然として、目標として残るだろう。

この限りにおいて私は吉本にくみし得ない。日本の思想と政治について丸山の思想のうちにとりこまれた真理の場は、吉本の思想のうちにとりこまれた真理の場よりもひろい。しかし、吉本によっておおいをとりのけられ、吉本のきりひらいた道によってはじめてとりだされたいくばくかの真理があり、それらは、現代日本の体制にくみこまれうる知識人にとってもっとも見つけにくい真理なのだ。

丸山のとった虚構の立場をさらに徹底する道すじを、吉本は、一つの可能性として指摘している。このところで、私は、新渡戸稲造の記したロマン・ロラン会見記を思いだした。第一次大戦直後、スイスに住むロマン・ロランは、国際連盟事務局に日本人がはたらいているということをつたえきいてそれだけのために、その日本人・新渡戸に会いに来た。新渡戸はロランを読んでおらず、はなしははずまなかった。新渡戸にロランは「もう西欧の文明は死んでしまった。それは今後は東洋に、日本に生きるのかも知れない」と言った。それだけのことだが、西欧文明の現実的基盤の上には西欧の理想は生きないと考えるようになったロランの考え方は、今日、日本人のうけつぐことのできる考え方だと思う。

（『一橋新聞』一九六三年五月十五日号）

どこに思想の根拠をおくか

安保闘争における国会突入の思想

鶴見　安保闘争で、全学連が国会構内へ突入して集会を開いた、六月十五日の事件に対する吉本さんの「思想的弁護論」（徳間書店『自立の思想的拠点』所収）をとてもおもしろく読んだのですが、このなかにはわたしの共感できる部分と共感できない部分がふくまれています。まず、わたしが共感をもって理解した部分を自分のことばで要約してみるので、それを吉本さんの意見とわたしの意見との共通項として確認しておき、その上で、意見の分かれるところをとり出して問題にしてみたいと思います。

吉本さんはここで、六月十五日の全学連の国会突入をどう思想的に理解し、評価するかを単純明解に出しておられる。この事件を国会突入の行動の局面だけに限定してしまえば、そこに行きすぎがあったかなかったかという問題に焦点が移されて、この一点では市民的知識人と検察官側は同一だといわれる。どんな思想でも、それを行為のレベルに還元すれば、ひじょうにこっけいな卑小《ひしょう》なものとしてしか、われわれの前にあらわれてこないものなのだ。思想と行為を分断して、あの小さな突入の行動にだけ焦点を合わせるところに、あの行動の意味をとらえそこなうきっかけがあるのだ、そこから計算が全部はずれてくるという指摘があります。

では、国会に突入し、構内で抗議集会を開いたという行動そのものには、どういう意味があるか。

憲法にはすでに、国家公務員というのは全体の奉仕者であって、一部の者の奉仕者であってはならないという規定があるけれども、そこで公務員がこれを踏み破って、抗議集団を弾圧することに対する抗議、国家の不当な行為に対する抗議の表明、そういうものとして、国会突入という行動には意味があるんだ、これをたんなる行きすぎとしてとらえるような市民主義者や左翼の集団というのは、たとえ、国会突入について弁護をするにしても、ここで悪しき同伴者に転化しているのだと指摘されています。

次に、ここへ参加した吉本さん自身の対応のしかたですが、ここでこういう行動に加わることで、自分は命を失うかもしれない、この行動によって達成できる政治的な成果は、実現された革命というものじゃなくて、たかだか岸首相の退陣と、安保批准阻止、そのていどのものである。自分の命とひきかえにするだけの値打ちがあるかと考えて、とまどってしまう。このとまどいのなかにすでに安保闘争の敗北があった。敗北は、警官隊が圧倒的な物量で押しよせて、われわれがしりぞいたという、物理的な行為のなかにあるのではなく、自分の命とひきかえにはできないという結果の評価のなかにすでに敗北の姿があった。これを思想的な問題として見すえて、自分はじっとこのなかに立ちつくす、そしてこの問題をかかえて生きることが、あれから七年後の今日でも、日本の状況のなかでもっとも本質的な問題なのだ。それ以外のところへ論点を移し、関心を移動させることは、本質的な問題からより現実的な問題へ流されてゆくことになるのでだめだ、裏切りだ。いまベトナム反戦などということで、人集めのできるような状況に移って闘争をやってゆくというのは、闘争ではないのだ。観客のまったくいない七年前の国会突入の思想が、なぜ思想として敗北したかという問題を自分の問題として、そのままつらぬいて前へ進んでゆこうとする姿勢だけが、今日の状況全体に本格的に立ち向かうことができる。これを煮つめていくと、このなかに一種のユートピア的な志向があって、その最小単位が自立の思想である。これは、国家の内部にあって国家と対峙する視点である。この思想は、人間とはどういう存在か、人間の精神はどういうものかという考察に根ざし、そこからわれわれに実行可能な生きかたの理論を構築していかなければならない。そういうことで、吉本さんはその基礎論を言語表現論と心的現象論で深めていくというふうに理論を展開してこられたと思います。

どうも、正確に要約できたかどうかわかりませんが……。

吉本　いや、いいと思います。そういう問題のなかにいろいろなことが入っているわけです。その一つは、ちょっと普遍化していいますと、政治行為はけっして身体行為というか、肉体的な行為のなかにその本質があるのではなくて、幻想に対する幻想、つまり国家権力という幻想に対する幻想の行為であるということですね。これをはっきりさせておかないといけないと思うのです。政治行為を身体行為だけに限定してしまえば、六月十五日の事件もたかだか国会の門扉を破壊したかしなかったか、住居に侵入したかしなかったかというような局面でしか問題が論じられなくなってしまう。政治行為の本質は、幻想的な行為というところにあるわけで、そこではどんな膨大な思想といえども、身体行為としては、門扉を破壊したかどうかということとしてしかあらわれてこない。

それから、ある政治闘争なら政治闘争のもっとも重要な部分は、どういうかたちで残るかといえば、やはりそれを思想としてどう集約するかという問題として残ると思います。

日本の反体制運動というものは、その最後の阻止線は自分の生命なんだというぎりぎりのところまで身体行為としてやったこともないし、一つの闘争を、その発端から終末までを一つの思想によって徹底的に締めくくったこともないと思うんです。闘争の一つの原型、たとえば、安保闘争なら安保闘争があると、そのあとに日韓闘争（一九六五年）がある、そのあとにベトナム闘争がある、そういうものに小刻みに対処しながら、細々と長く、その間に無数の小さい転換をとげながらくりかえしているわけですね。行動として絶対に生命の阻止線まで行かないし、発端から終末までも包括した思想もない。それの典型的なのが、日本共産党だと思うんです。つまり細々と長くというのは、国家権力に対する日本の反体制運動の戦いかたのやりやすい一つの定型になっているわけですよ。ぼくはこの定型をいかなる意味でも肯定しないのであって、必ずどこかで破らなければならないと考えるわけです。そうでなければ、政治的な運動でも平和運動でも、次に出てきた運動が、前の運動をもう包括しつくしているという地点に立つことはできない。こういう定型を破るためならば、それはどこへ固執してもいい。この意味で一つの問題に固執して考えぬくことは、とても重要なことだと思うわけです。

たとえば、安保闘争の最後、六月十八日でしたか、自衛隊が出動するという風評が流れたとき、もっともラジカルに闘った連中も、いっきょにしりぞいていったということがあるわけです。自衛隊に対しては、自分の生命がぎりぎりの阻止線だということがはっきりしていたけれども、もっともラジカルな部分もそれを超えることはできなかった。反体制運動が、現在だってそれを超えられるとは考えられない。安保闘争に対する批判はいろいろあったし、そのあとも、挫折ムードだとか何とかいう批判もあったけれども、そういう批判は、ぼくはこっけいだと思うんですよ。日本の反体制運動がぜったいに超えられなかった最後の阻止線というものについて、何ら本質的な洞察も出していないし、あの闘争の思想を超えたところから出されている批判でもない。安保のあとのベトナム反戦運動でもほかの何かの運動でも、安保のときの問題を少しも解いていないというふうに、ぼくは考えるわけです。これを書いたときもそうですけれども、ぼくはこのへんの問題を絶えず考えてきたわけです。

にせの状況のなかで

鶴見　思想とか政治についての考えかたで、わたしと吉本さんには共通性と微妙な差があると思います。これはあとまで尾を引くところですが、わたしはどんな思想でも対象をまるごとはつかめないという立場です。思想は、何かの器とか象徴を媒介にしていて、本人にとってさえ意味が揺れ動いているものです。ここが吉本さんとの基本的な分かれめになってくるような気がします。

いま出された吉本さんの考えかたは、わたしのことばでいえば、政治を思想としてとらえているということです。吉本さんの、政治を政治行為の卑俗な部分だけで理解するのには反対だということには共感するんです。卑俗な部分だけで理解したらまずい。しかし、政治には、卑俗な実際的な部分もふくまれていることは確かですね。わたしは政治がその卑俗な実際的部分をふくんでいるということを、吉本さんよりやや重大なことと考えるのです。

たとえば、六月十五日の事件についていえば、わたしはあのときあそこにいましたし、ことに夜中になってからは、自分はここで死んでもいいという感じを終わりまでもっていました。ただ、ほかの人をさそうのはいやなんです。ほかの人がけがをするのはとてもいやだ。ほかの人にけがさしてはいけないという気持ちは終わりまで働くし、人をさそうことについての責任は、わたしにとってはひじょうに重いのです。だからわたしはあのときは、二重に動いています。「声なき声の会」というのでいっぺんぐるっと国会をまわって、それが解散してから門へもどったのです。「声なき声」はゆるい行動しかしないという約束があるから、危険なところから離脱したわけです。学生に対しても、支援する姿勢はとりましたが、学生を死なすような行動に対しては、なるべくやめるように一貫してブレーキをかけました。わたしは人をさそうことの責任を重大に考えるし、あまりさそいたくないという意識が自分の計画する行動にいつもつきまとっています。全学連に対する批判も人を危険にさそう、さそいかたの点についてですね。

しかし、自分自身の感情としては、あのときはここで死んでもいいという結着はついていました。こわさは感じませんでした。この前の戦争中はものすごくこわかったんです。こんないやな、自分の信じていない戦争目的のために死んだらやりきれないというので、こわくてしようがなかった。しかし、安保のときは、あの戦争にくらべれば自分の目的により合致しているのだから、死んでもいいと思いました。いつもあのひどい戦争と比較しますから、わたしはいまのベトナム反戦で自分が死んでも効果はないけれども、それと痛いことはなるべく避けたいという気持ちはありますが、命とひきかえということは結着がついているんです。

しかし、六月十五日のあの学生の動きに完全に同調するかというと、全学連の思想はわたしには同調できない部分をふくんでいました。つまり組織論の部分ですね。にもかかわらず、死んでもいいと思ったのは、わたしはあの戦争で死んだかもしれないわけで、いつもあの戦争より、より多く自分の目的に合っているかどうかを考えるのです。ここには、何の場合についてでも完全に自分の目的に合致する行動のチャンスはないだろうという人間の条件についての前提があります。わたしは、何でもそうとうなにせものだ、どんな政治目標でもにせものだと思うのです。安保闘争の目標だって、かなりにせの部分をふくんでいた。わたしには納得できない学生のリーダーもまじっていた。しかし、このていどのにせなら、その人たちと同体に倒れたっていいという考えかたでした。ベトナム反戦でも、わたしはこの運動のなかにあるにせの部分は小さくないと思います。しかし、自分にとっての反戦感情のもともとの原型である戦争体験と絡み合わせてみると、これで死んでもいいと思うのです。(注。ここのところおおげさでイヤだが、いくら考えてみても、痛いことはいやだというほかには、困ると思えない。)

にせの現象学みたいなもので、政治の歴史の上には、にせのかたちが積み重なっている。状況というものはそういうものだ、このにせ状況のなかで自分が、これが値打ちがあると考えるものを自分で定立してそれに賭ける以外にないのだ、と思うわけです。にせでないほんものは、範疇的に意志によって定立することは、自分の意識における行為としては可能だけれども、状況そのものとして、にせをふくまない真正の状況というものは、ありえないのだという判断ですね。

ここのところで、言語についても象徴についても、考えかたの方法についても吉本さんとの違いが出てくるのだといつも考えるのです。大衆の問題も出てくるでしょうが、吉本さんは、大衆の概念を範疇的に立てるでしょう。わたしは範疇的には定立しないわけです。範疇的に定立する場合でも、それは仮のこととして、それと実証的なデータを参照できるようにして範疇を組み換えることができるようにします。そこが方法上の違いだし、また状況判断の違いにもなると思います。

ですから、たとえばベトナム反戦は、本質的な問題をずらしているという吉本さんの批判は、自分を考えさせる力をもつ批判として受け入れますが、しかしそれに屈服することはできない。安保のとき、小林トミさんたちといっしょにつくった行動の組織に「声なき声」というのがあって、これは解散しないでいままでずっとやってきています。安保闘争は観客のない舞台になっていますから、来る人はしだいに少なくなって、去年の六月十五日に集まったのは九人でした。これは、ゆるい行動の組織で、安保のとき、国家主権の動きに対して抗議するというゆるい対抗の姿勢が無党派の人びとのなかからできたから、それを崩さないで、遺産としてずっとつづけていこうという考えかたです。これは、こういう姿勢で立っていても、安保のときは状況の迫力と絡んでものすごくふくらんだわけです。これいまは当時と同じしかたで立っていても、もうふくらまない。しかし、そのふくらまないしかたでも立ちつづける、そして、それまでの経験を基礎にしてベトナム反戦を呼びかけて、この遺産を継承して、もう一つの行動のかたちを考えたらどうかというので、手つづきとしては「声なき声」から他の市民団体に呼びかけて、いまのベ平連をつくったのです。

ベ平連は、量としては現在の「声なき声」の百倍ぐらい（注。あとで考えると千倍以上）の伸びになっているでしょう。しかし、いま無党派の集結という似たようなしかたで参加している人たちによって、前の安保のときの「声なき声」の遺産が継承されて、その上に積みあげがおこなわれているかと言えば、そうは言えないでしょう。範疇的に積みあげてゆくことがどのていど可能かという問題について言えば、わたしには人間にはそういうことはむずかしい、というので絶望している面があるのです。ここのところが、やはり吉本さんと思想の骨格の違う点だと思います。わたしは、あとのものを前のものの上に積みあげようとくりかえし努力し、しかも積みあげられないでいく、しかし積みあげようと努力するほうがいい。積みあげようと努力してゆけば、それが積みあげられなくとも、あるていどの痕跡は残るであろうというふうな、いわば度合いの思想というところにいつも落ちつくんですよ。

国家とどう対決するか

吉本　あなたの考えかたはわかりますよ。了解はできます。ぼくも鶴見さんのように戦争体験とかかわらせて言えば、自分にとって国家権力が最大の問題になるわけです。戦争中、人間的な判断力をあるていどもっていれば、あなたの言われる卑俗な場面では、これはにせものであるとか、これはだめだとか、支配者の言動についても、戦争中の大衆の個々の動きについても、みんな判断できた。これはいやだとかそういうことは始終あるわけですね。要するに、あらゆることを疑うことはできた。しかし、最後の判断、つまり国家権力を疑うとか否定するとかいうことだけはなかったということが、戦争体験のなかでの自分の遺恨、恨みとするところです。そういう問題意識はまったくなかった、これが遺恨としてあるわけでしょう。だから、安保闘争のときでも何でも、どうやったら国家権力を棄《き》揚《よう》できるのかということがたえず念頭にあるわけです。これこそがぼくにとっては戦争体験、それから戦後体験を通じてのいちばん眼目になる問題ですよ。ここがあなたと違うところだと思うんです。

たとえば、ベトナム反戦運動、鶴見さんのやっているベ平連というような運動を見ているでしょう。そうすると、あれは、ぼく流に要約してしまえば、戦争か平和か、世界中どこに戦争があっても、それはいやだ、反対だという運動でしょう。

鶴見　そうです。

吉本　つまり、戦争か平和かということなんですね。ぼくにとってはそういうことは、何か第二義、第三義の問題であって、これをどういうふうに積み重ねて、どういうふうに国家権力を棄揚する思想をつくれるのかという、それが最大の問題だと思うのです。安保という政治的な闘争の場合でも、やはり国家権力は超えなければならないという問題が、たえず中心問題として念頭にあって、その他のことは第二義、第三義のことだったわけです。

だから、鶴見さんは、たとえばベ平連の運動に生命をかけてもいいというふうに言われたけれども、戦争か平和かというような範疇の問題、つまり戦争か平和かという問題自体を消滅させてしまうような課題とは違う問題に生命をかけるというのは、ぼくに言わせれば、ナンセンスではないかと思います。国家権力の基本的な問題としてそれが出されているのだったら、第一義的な範疇にはいるわけだけれども、いまの運動はそういうものではないのだから、ぼくだったら生命はかけませんね。そういうことをしてもしようがないのだ、国家権力をどういうふうに超えるのかというイメージがないかぎり、やはり生命はかけられないと思います。理念的方法的にかけられないと思います。ぼくはぼくなりに戦争体験に引っかけてそうなってくるわけですよ。だからあなたがたのベ平連の運動などもそこでひじょうに不可思議だと思うところが出てくるんですよ、国家という問題との関連で。

いまあなたがたの運動がベトナム国家の問題に介入して、そのベトナム国家権力を超えようとしているベトナムの内部の勢力を支援していこうとするのであるならば、それは日本の国家権力に対してどう戦ってゆくかという問題としてだけ可能なのであって、それがぼくにとっては基本になりますから、そういう問題をお粗末にしている運動は、いったい何をしているのでしょうか、ということになってくるわけです。

ぼくはベトナム反戦運動が、行動としてラジカルであるかないかを問題にしているわけじゃないですよ。ラジカルでないから、これはだめなんだと言っているわけじゃないです。そういうことではなくて、運動のなかにある理念というか、あなたに言わせれば先験的な範疇の問題ですが、ぼくに言わせれば、ひじょうに基本的な問題なんです。国家権力を超える思想の問題がどう運動のなかで出されているか、そういうことが問われないならば、それはあまり本質的な問題をふくんでいないのではないか、そういうところへ生命をかけることは、つまらないことではないか。ぼくが自分の戦争体験と結びつけていえば、こういうことになるわけです。

鶴見　わたしは戦争中に日本へ帰ってきたけれども、これは負ける戦争だということを感じていたわけです。これは無意味でひどい戦争なんだが、これを国家に対してまき返す力がどうして国のなかから出てこないのかという問題をずっと考えていた。考えていたにもかかわらず、肉体と理念がいっしょにならないとまき返す運動はできないわけで、わたし自身をとってみても、戦争の末期で警察力がそうとうなくなってきたときでも、反抗の連帯をつくったわけじゃないし、ぐるぐるとへたばってしまって、戦争に負けてくれたので自分も助かったということになってしまった。しかし、わたしにとっても、あの状態のなかで、なぜ国家権力をまき返すような運動を組織することができなかったかということは、いまでも基本的な問題なのです。

安保が上程されたときは、わたしはこれはこういう問題と根本的に絡むことだとは思っていなかったのです。これもまた負けるだろう、だから反対署名をして、デモに何回か員数の一人として出ればいい、そのていどに考えていました。だけど、これは自分が初めに考えたよりも深い問題だなということをなかで感じましたし、自分も転向の研究なんかやって、戦前・戦中の他人の転向を批判しているのだから、とうぜんここで国家に対決するプリンシプルを行使しなければいけないと思いました。しかしそれにしても、安保の強行採決に抗議するという行為は、戦争中の反戦運動が国家権力に対してトータルに対決したのとくらべれば、やはりもっと部分的な問題になってきていると思うのです。

ベトナム反戦の問題になると、これは日本の人民がいいと思っていない戦争を日本の国家が支持しているわけですね。この問題は戦争中の反戦運動のように直接明確なかたちで国家権力との対決の道を開かないけれども、大衆の想像力は、日本国家が加担しているこのベトナム戦争はよくないととらえている。ここから、日本の国家権力を批判する道は開ける。戦争中に反戦運動をどうして組織できなかったかという、わたしにとってのもとの問題よりも解きやすい問題として眼の前にあるというふうにわたしは理解するのです。

もちろん、どんな問題をとってもこのコースは開けてきます。しかし、ベトナムの問題については、大衆の思想とか感情のなかに明白な世界地図がつくられていて、アメリカのベトナム戦争政策は不当な圧迫だという考えがあり、それに日本の政府が協力しているのはよくないという判断がある以上、ここに日本国家の政策を批判する地点がある、そう思います。

思想の次元と状況の次元

吉本　いまお話を聞いていて、ぼくは鶴見さんと、関係という概念のとらえかたが違うと思いますね。いま、アメリカはベトナムで戦争をやっている。日本の政府はなんらかのかたちでそれに関係づけられている、つまり協力している。日本の国家が全面的にのめり込んでいるわけではないけれども、アメリカに協力するのはよくないことだという考えかたを出されたわけですね。ぼくはこういう場合、関係という概念をちょっと違うふうに考えるのです。

経済的な範疇でいえば、関係というのは世界的なわけです。ベトナムで戦争が起これば、どこかで兵器をつくる、ものをつくる、その部分をつくるということで、そこに全世界が、資本主義国であろうと社会主義国であろうと、みんな関係づけられて、そういう意味で戦争に協力してしまう。ここでは関係はひじょうに全世界的ですが、同時にひじょうに直接的だと思うのです。

しかし、ぼくは関係の概念というのは、そういうものにとどまるものではないと思うのです。目に見えないかたちをとおる関係、ぼくのよく使うことばでいえば、幻想をとおる関係というものもある。たとえば、日本国家は、国家という幻想をとおしてベトナム国家に関係づけられる、ベトナム国家も国家という幻想をとおして日本国家へ関係づけられる。あなたの言われたように、日本がアメリカと協力しているというような目に見えるかたちでの関係のほかに、目に見えない共同の幻想、たとえば国家を媒介にして関係づけられる関係というのが、ぼくはあると思うんです。

　そうしますと、あなたのおっしゃる協力という関係の概念は、ひじょうに折衷的だという感じがします。協力という意味だったら、社会主義国も資本主義国も経済的には、みんな世界的にベトナムの戦争に協力してしまうわけです。しかし、幻想というものを媒介とする関係では、ことはそんなに単純でないのであって、主観的に協力している行為がほんとうは非協力になっていることもありうる。

　鶴見さんが、目に見えるかたちで、日本の国家がベトナム戦争に協力しているという問題を反戦の立場から追及するのであれば、世界中が協力しているという問題全部を徹底的に否定的にとらえるべきであるし、目に見えない関係をもとらえようというのであるならば、目に見える協力・非協力だけをとらえるのではなくて、もっと複雑にといいますか、徹底的に考えられるべきであると思います。

　このへんの関係という概念がはっきりしていないから、鶴見さんの運動もひじょうに折衷的で、ぼく流に言いきってしまえば、ベ平連というのは、社会主義国家群に対する同伴運動ですよ。同伴運動というのは自立せる運動ではない。それ自体一つの世界を包括しうる運動ではないですよ。関係という概念をはっきりさせないから、これが運動自体をあいまいにしていると、ぼくにはそう考えられる。これはあくまで思想方法の問題としてあると思うのですよ。

鶴見　どういう状況の分析でも、関係の概念はかならずあいまいになってきます。安保の強行採決の問題でもそうです。そのあいまいさを完全に排除して、それがまるごと自分たちに関係する問題だとして理解できない面はどうしても残ります。

吉本　いや、ぼくはそうは思わないですね。あいまいさは残らないのだということが一つの原理として組み込まれていなければ、それは思想じゃない。ぼくに対するいろいろな批判はことごとく、どこにも現実的な基盤がないじゃないかということです。しかし、ぼくは思想というものは、極端に言えば、原理的にあいまいな部分が残らないように世界を包括していれば、潜在的には世界の現実的基盤をちゃんと獲得しているのだというふうに思うんですよ。思想というものは本来そういうものだ、そういうことがなければそれは思想といえないのだと思います。

鶴見 そこがわたしと違うところだ。

吉本 そうですね。いつもそれを感じています。

鶴見 わたしは思想として原理的に定立するのは、あくまでも思想の枠組みの次元のこととして考えるんです。それを現実と絡めて考えるときには、かならず適用の形態で、こういうふうにも適用できる。別のふうにも適用できると、あいまいさが思想の条件として出てくる根拠があって、そのあいまいさは思想からどうしても排除できない。数学のように内容を全部抽象してしまうか、あるいは宗教の基本的な命題のように、意志によって定立する、それで終わりというような領域でならば、あいまいさは入ってこないけれども、思想が状況とかかわる場合には、どうしてもあいまいさは排除できないと考えるのです。

吉本 ぼくはそこが違うんだな。

鶴見 だからわたしは、思想を原理として定立すれば、世界をすでに獲得しているというような考えかたに立たない。

吉本 ぼくは可能だと思うんですよ。その原理が明晰さを保持しうるためには、原理のなかにたえず可変的なもの、大衆の状況をくり込んでいかなければならないという課題があって、ここで状況論が必要になってくるわけですね。範疇として固定化するわけではなくて、原理的な思想のなかへ状況の問題、あるいは大衆の問題が絶えずくり込まれていかなければならない、そうしなければ原理としての明晰さは保持できない。それをくり込むことができれば、世界は要するに獲得されているのだと思うわけです。

鶴見　そこであらゆる領域で考えかたが違ってくるんですね。ベトナムの問題に寄せていえば、わたしはここに日本の国家の政策を批判しうる基盤があると考える。ここでかなりがんばって批判していって、われわれは国家を批判できるという感覚を自分のなかに反射として植えていこう。それを安保の問題や戦争体験の上に重ねていこう。これが関係そのものだというふうにしてとらえる状況には現在ないが、しかし、こういう積み重ねの結果、状況をまるごとつかんでいくという感覚が大衆のなかにあり、わたしのなかにある。こういう感覚が、生きて働ける状況のなかに、いまあるように思うのです。

自立と同伴は二律背反か

鶴見　たとえば、さっき同伴と自立ということを言われたでしょう。そこでもやはり意見が違うんです。わたしは同伴は自立と違うからいけないというふうに切れないのですよ。わたしは、自分に固有の思想としては、スティルナーみたいな考えかたで来ているから、吉本さんのことばでいえば、自立的な考えかたが自分の内部にはあるわけです。しかし、自分のそういう考えかたと状況判断とを絡めた場合には、同伴と自立とは完全に相反する範疇ではないと思う。

わたしの立場がベトナム反戦運動では、社会主義諸国の同伴者だと言われましたが、自分としては、社会主義諸国の同伴者となることをあまんじて受けるという思想に立ちたい。共産党に対する関係も戦後ずっとそうです。わたしは共産党からはずっと悪口をくりかえし言われてきましたが、それを叩き返すことに主力をそそぎたくはない。それは自分にとっては主要な問題ではないのだという気がします。だから社会主義諸国の同伴者である、共産党の同伴者であると批判されれば、あまんじて受け入れます。しかし、そういうしかたで動くことによって、自立的に動けないかと言われれば、同伴者であってもなおかなり自立的に動くことは、論理的に可能だと思います。

わたしは全体の状況から見れば自分を同伴者と認めます。しかし同伴の根拠は毛沢東の思想でもないし、マルクス主義がわたしの根拠になっているわけじゃありません。わたしの同伴の根拠は、単純な一種の懐疑思想ですね。人間は人間を究極的に裁くことはできないし、人間がほかの人間を肉体的に抹殺しうるだけの正当な思想的根拠をもつことはないだろう。そういう考えかたが根拠にあるわけで、マルクス主義の思想とは違うわけです。

同伴か自立かということを吉本さんは範疇的に定立するでしょう。わたしは範疇として定立するとしても、それは範疇構成だけの問題であって、状況判断と絡めた場合には、同伴者はすべて自立者ではない、自立者はすべて同伴者ではない、と規定することはできないという考えかたです。

吉本　そこにぼくにはなにか了解できないところがあるのです。自分の思想的な課題、思想的な方法から展開してゆけば、どうしてもそこへ突きあたるというような、最後の問題というか、それをやっぱり避けていると思うのですよ。初めからあきらめているというか、初めからそのことは捨てている、というふうにぼくにはとれるのですけれども。

鶴見　わたしは政治の領域というものをそのていどにしか考えていないのです。政治的な運動は、みんなといっしょにやっていく場面でしょう。こういう場面ではあるていど以上に範疇的に煮つめることはむずかしいだろう、そういう意味では政治思想に体系性をつくることは投げています。しかし政治思想を部分としてふくんだ思想全体の問題としては原理的に煮つめなければいけないと思います。

わたしの場合、人間の究極の問題として、自分がまちがっているという可能性は、科学的に考えて排除することはできないというのが、基本的な考えかたです。命題そのものの性格からいって、まちがいは排除できない、人間がまちがうということを排除しうる方法はないんだ、というのが根本にある思想です。だから、何というか保守的な懐疑主義ですね。

しかし、みんなといっしょにやっている政治的な運動は、こういう思想的な問題を煮つめていって範疇構成をやる場所ではないですね。わたしは、自分がものを考える人間として、究極の思想的な問題を考えることを避けているとは思いません。ただ、政治の場面にそういう問題をもち込みません。

大衆をどうとらえるか

鶴見　わたしが吉本さんに一つ批判をもっているといえば、わたしには純粋な心情というのがいやだという価値判断が抜きがたいのですよ。純粋な心情は、狭く動きがとれないでしょう。肉体の反射として視野が狭くなったり、ぎゅっと硬直したりするわけですね。つまりウルトラになる。わたしはウルトラの心情をあまり好かないのです。ひじょうにきらいでないけれども、不健康だと思うので、自分をそこからちょっとずらして、いわば体を柔かくして、力を抜いていたいという感じですね。

戦争中に、万年二等兵でいる三十歳ぐらいの兵隊がいて、そういうのは先に立って人をなぐったりしないんですよ。一等水兵ぐらいがなぐる。あとで、あんな子どももったことのない連中が、人をなぐってたまるかなんて、かげでぼそぼそ言うわけです。わたしは反戦論者だったから、一人で孤立していて、こわくてたまらない。そういうとき、こういう人たちのあいまいな感情が安らぎの場だったわけだ。こういうあいまいな人間の感情というものはいいものだなと感じて、そのなかへ自分が住みつくというか、寄生するようなしかたで戦争を耐えてきた。

だから、国家批判という姿勢も、こういう人間のごくふつうの、あいまいな感情のなかへ部分として住みつくことができる、それはある種の可能性をもったものだ、こういう部分に呼びかけていきたいという気持ちがずっとあって、「声なき声」にも参加したわけです。これはゆるくゆるくという組織です。

純粋な心情は、ぐっと突きつめていって、まずくゆくとひっくり返ってしまうことがある。自由主義はけしからん、あいつを刺そうというところまでゆくかと思うと、ぽかっとひっくり返ってしまって、あのときはまちがっていた、そしてまたこんどは歴史的必然性を知らなかったといって変わってしまう。そういう人間のタイプがある。わたしは戦後、大学に十八、九年つとめているけれども、何度もそういう学生に会った。「七つの首」とか『死の灰詩集』（宝文館）の気分をもった集団ですね。わたしは同伴者だから、そういう人ともいっしょに動きます。鮎川信夫がおそらくそういう人に対してもつような嫌悪感は、わたしはそういう左翼青年に対してもたないのです。でも、ウルトラは困るなという気持ちはいつでもあるわけです。

吉本　ぼくは、大衆のとらえかたが鶴見さんとはものすごく違いますね。ぼくのとらえている大衆というのは、まさにあなたがウルトラとして出されたものですよ。戦争をやれと国家から言われれば、支配者の意図を超えてわっとやるわけです。たとえば軍閥、軍指導部の意図を超えて、南京で大虐殺をやってしまう。こんどは、戦後の労働運動とか、反体制運動では、やれやれと言われるとわっとやる。裏と表がひっくり返ったって、それはちっとも自己矛盾ではない。大衆というものはそういうものだと思う。だから表返せば大衆というものはいいものだし、裏返せばわるい、まったくどうしようもないものだということになるわけです。こういう裏と表をもっているのが、ぼくに言わせれば大衆というもののイメージなのですね。戦争中に国家権力が采配をふればわっと行くし、中国みたいに毛沢東が采配をふればわっとやる。これが大衆だと思うのですよ。しかし、ぼくはそのことで大衆を悪だとは考えないし、大衆嫌悪には陥らない。

鶴見　わたしにとっては、何だあいつはわけもわからないくせにとぶつぶつ言いながら、半身の姿勢で戦争に協力していたような人たちが、たいへん重要な大衆のイメージです。

吉本　ぼくのもっている戦争中の大衆のイメージはそういうものじゃないんだな。赤紙一丁くれば、インテリゲンチアみたいにぶすぶす言わないで戦争に行くわけですよ。国家の命ずるままに、妻子と別れて命を捨てるために出ていくというのが先験的なのであって、その内部に、あの上官はおもしろくないとか、そういうぼそぼそがあるわけです。赤紙一丁で命を捨てるために出ていく。反体制運動でも同じで、わっとやれば指導者の意図を超えてしまう。これがぼくのもっている大衆のイメージですね。

そこで問題になるのは、こういう大衆を何がチェックできるか、ということです。たとえば毛沢東はチェックできない、あるいは政策的にしかチェックできない。しかしチェックしなければならない。それは、ここははっきりさせなければならない、ここまでは思想的にはっきりさせなければならないという原理があるわけで、その原理に照らしてしかチェックできない。たとえば鶴見さんは、ウルトラな大衆が出てくれば、どうもあまり好きじゃないなということでしりぞくわけでしょう。

鶴見 いや、同伴者だからしりぞかないですよ。しりぞきはしません。

何によって大衆をチェックしうるか

吉本 しかし、同伴しながら、おもしろくないということで、心情としてしりぞくわけでしょう。それは戦争中のリベラルな知識人、戦後の市民主義的な知識人の典型だと思うのです。ぼくは、いやだなというものが大衆のなかにあれば、そこにとどまってそれを展開しなければならないし、展開して一つの明確な原理にまで高めなければならないと思う。大衆の原像をとらえる、思想的に明確になった原理がなければ、ぼくのもっているイメージでいう、悪にも突っ走り、善にも行きすぎる大衆はぜったいにチェックできないですよ。

鶴見　吉本さんに言わせれば幻想かもしれないけれども、わたしはウルトラとは別の大衆が存在するという想定をもっているのですよ。さっきの、ぼそぼそ言っている老兵のような……。戦争中、そういうところでようやく生きのびてきたのは事実なので、そういう大衆はありうる……。

吉本　ありうるといっても、それは善にも行きすぎるし、悪にも行きすぎるという、そういう人間の内部にもっているものだと思いますね。大衆はぼそぼそとか、おもしろくないなというのは内部にもっているものだと思いますよ。

鶴見　その内部にもっているものは、その人間の行動や決断を左右するとわたしは考えるのです。優性になって表へ出ていく部分のかげに、劣性の部分が倍音として残る。この倍音は、別の条件を展開すれば、こんどは前へ出ていくことがありうる。だからわたしは「いろはがるた」みたいなものが重要だと考えているのです。「無理が通れば道理引っ込む」というなかには、あれは無理だと判断する人間の存在が倍音としてふくまれているわけです。わたしは、戦争をとおして、こういうものは重要な意味をもっているという考えかたになってきたんです。こういう大衆というのは、率直に言えば好きですね。また自分も同じものだ。

吉本　そういう倍音は、善にも行きすぎる、悪にも行きすぎる大衆の部分で起きるものだと思いますよ。ある極限に来てしまえば、そのぶすぶすは固執されないで、わっと行ってしまうのが大衆だというふうにわたしは思っています。だから、ぼそぼそは大衆というものの把握のなかで絶対化することはできないだろう、そういうものをとり出して、大衆自体を評価するのは、大衆のイメージをまちがえてしまうのじゃないかなと思う。

なんでもないふつうの魚屋さん、お菓子屋さんは、いつもは税金が高いのはけしからんとか、食えないとかぶすぶす言っていて、税金は二重帳簿をつくっておいて数字を少しごまかすというようなことは、ちゃんと心得ているわけですよ。ふだんはそういう一種の自然な虚偽で国家に対抗している。しかし、いざ鎌倉というときには、やっぱり政府自民党に投票する。中国ではその逆の方向が出てきたんですよ。ふだん何かぶすぶす言っていて、究極では毛沢東が采配をふるとわっと行ってしまう。そして、いつもあとにやっぱりインテリゲンチアがとり残されて、身動きできない。

しかし、ぼくに言わせれば、思想を明確に原理的に提出しえているならば、知識人はそんな場面でぜったいにうろうろしないと思うんです。そういう場面で指導者に対してチェックできるし、大衆に対しても原理的にチェックしうるのが知識人の一つの原型だとぼくは考えているのです。知識人を原型として描けば、指導者をも大衆をもチェックできる存在を指すと思う。ぼく流のことばで言えば、それは自立しているということであって、その世界を包括しえていれば、いかなる事態であろうと、だれがどう言おうと動揺することはない。行きすぎだといって、そこから身をしりぞくこともいらない。

はじめにも言ったけれども、実際、反体制的な運動は、行きすぎなさすぎてきたんじゃないですか。行きすぎたことなんか一度もないじゃないですか。ぼくは、自分の思想の原理に照らしてどんなにだめだと評価されるものでも、行きすぎだという理由で否定したことは一度もない（笑）。戦争中でも戦後でも、わたしたちはどうして完全にまいった、完全にへばったのだろうかといった問題を一度もに見えるわけです。

思想の問題として打ち出したことはないんですよ。たえず行きすぎもせず、へばりもしない。へばるのは下のほうのやつだけで、組織はちゃんと存続していく。こういうところがぼくにはいちばん奇妙に見えるわけです。

だから、ぼくは、大衆が戦争において行きすぎようと、何々運動において行きすぎようと、それは否定の対象にならないと思うんですよ。ただ、それをチェックしうる思想を知識人が形成しうるか否かだけが問題ですよ。思想的な原理以外の何によっても大衆の行きすぎはチェックできないですね。そういうのが、ぼくの大衆のイメージです。

鶴見　わたしは大衆の原像を、ぼそぼそ言い合ってきたことが積み重ねられて、それが顕在化して動きの根拠になるようなものとして考えているのです。ぼそぼそをちゃんととらえていく、それがわたしの原理なんだ。だからそれを全部落として直線的にウルトラとして大衆をとらえたところに、戦争体験をもつ前のわたしの考えのまずさがあったと思っています。吉本さんの範疇で言えば、あまり原理的でないのだろうけれども、わたしとしては、こういうことを原理的にたいへん重大なことと考えているわけです。

だから政治的な運動のなかでも、少数意見のもつ意味をひじょうに大きく考えるし、かなり大きな少数者が存在する場合は、その考えかたが多数者に浸透していくような状況をいつも想定しています。それで、わたしの考えは政治思想の構造としては、保守的な考えかたに近くなります。つまり、かなり大きな少数者の存在は全体に対して影響を与えることができる。統計的な意味での多数者になってから初めて、その意見が状況全体に反映できるというのではないと感じているのです。

信仰としての宗教と宗教性

鶴見　吉本さんに一つ聞きたいと思っているのは、吉本さんにおける宗教性という問題です。わたしは吉本さんのものを読んでいて、とても宗教性を感じる。キリスト教の信者とか、そういう人の書いたものにかえって、あまり宗教性を感じない。吉本さんの範疇構成の原理的な性格とか、きびしい定立のしかたは、たいへん宗教的だと思うんですが、吉本さんは宗教をどういうふうに考えていますか。

吉本　どう考えているかと言われると困るのですが……。鶴見さんに聞かれている宗教性とぼくの言う宗教性とは違ってくると思うのですが、少なくとも、現在までの世界の思想、どんな科学的な思想といえども、それがたんに幻想のなかだけでなく、現実のなかに具体的に入っていく場合には、かならず宗教性としてしか出てこないというようにぼくは思うのです。ほんとうの意味で科学的な思想というのは、いまのところ考えることはできないし、むしろ不可能であろうと思うわけです。個人が信仰している宗教としてでなく、共同の原理としての宗教が考えられるとすれば、現在のところでは国家が最高の宗教、つまり宗教の共同性が発達した最高の段階だろうと思いますね。だから、国家がなくならないかぎりは、宗教性という問題を人間から排除することはできない。その意味で宗教というものは何かひじょうに先験的なものじゃないかというふうに考えているわけです。

鶴見　国家と向き合うところに自分を立たせたい。その意味では、根源的な、何か宗教的な性格というものがあるんですね。

吉本　共同の宗教である国家に対して、自分をどう対置させるかという場合に、宗教性というのは、それがどんなかたちをとっていようと、みんな否定されなければならない、しかも否定されないかぎりだめなんだ、という考えかたが現実には宗教的に出てくるかもしれないと思いますけれどもね。しかし、信仰としての宗教というものをあまり客観的に考えてみたことはないんですよ。ただ、ぼくは日本の宗教で言えば、中世の浄土教が好きだし、明治以後ではキリスト教は好きですね。わりあいによく理解できるように思います。しかし、信仰としてでなく、宗教性ということで言えば、最大の問題はやはり国家という宗教性なのであって、それに対してどういう思想が向き合うことができるか、ぼくにはこれがいちばん問題になってきますね。

批判に対する反批判の原則

鶴見　吉本さんの書かれるもののなかでわからないのは、「目には目をという鉄則は守らなければならぬ」というところ、これはどういう根拠と心情から出てくるのですか。わたしとしてはいちばんわからないところです。

吉本　それはぼくは納得しないな。鶴見さんの思想は、ラジカルなリベラリズムというものだと思うけれども、それに照らしてぼくの鉄則がわからないというのは、ぼくには了解できないな。ぼくは論争好きだとされていたり、あいつはひじょうに好戦的でいかんとか考えられているかもしらぬけれども、ぼくが最初に手を出したことはないのですよ。自分の思想の原理としてもそうだし、性格的にもそうだから、どんな論争でもよく調べてごらんなさい。ぼくがはじめにけんかを売ったとか論争をはじめたなんていうことは、一度もないはずです。

ぼくは、個人の思想が、ある個人の思想を否定し、抹殺しようとすることは肯定します。つまり、自分はこう思うというかたちでけんかが売られてくる場合ですね。こういう場合は、ぼくが「目には目を」という原則を行使するかしないかは、自分のなかでは自由で、柔軟に考えています。あるときはしようと思うし、あるときはやめておこうと思う。

しかし、そうでなくて、一つの共同性、組織性を帯びたものから批判される、けんかを売られるという場合には、ぼくは必ず「目には目を」という鉄則を行使するわけです。つまり共同性というものは、けっして個人性、個人の思想を抹殺することはできないという原理がぼくにあるんですよ。また、してはならないという戒律があるんです。ぼくには共同性のよそおいをもってなされた敵対性に対しては、必ず「目には目を」という鉄則を行使するという原則がある。そういう共同性のよそおいをこらしたものから個人を守らなければ、リベラリズム、あなたの言われるもやもや、ぼそぼその部分は原理としてとり出すことはできないでしょう。そういうものが生きられないでしょう。

鶴見　わたしは答えるに値しない批判には、どこから批判されようと答えないのです。自分が正当に批判されて、それを受け入れる場合と、触発されて何か言いうる場合には答えますけれども、それ以外は全部無視してきました。

吉本さんの論争史を見てみると、答えるに値しないものにまで踏み込んで答えているような気がして、わたしには不可解だな。それは「マチウ書試論」の人間関係の絶対性というところに根ざしているのかもしれないが、わたしには理解できないですね。

吉本　答えるに値するかしないかということは、ぼくにとって一義的な問題として出てこないですね。答えるに値するかしないかということよりも、ものを書いて自分の思想を述べることをしている人間には、自分の考えかたの展開の過程をかならずはっきりさせるべき責任がある。少なくとももものを書かぬ大衆に対して明らかにしておく責任がある。そういう責任を明らかにするということが、ぼくの第一原則になっている。ひじょうに書きづらいとか、書くのがおっくうだとか、現実の状況に照らしてあまり書きたくないというようなことは、主観的な気持ちとしてはたくさんありますし、思想的にもたくさんあります。しかし、ぼくは自分の責任を明らかにしておくことをいちばん重要に考えているわけです。

とりあげるに値しないような批判に対して、どうして反論するのかと言えば、ぼくは先ほども言ったように共同性のよそおいをもってなされる批判に対しては、必ず答えなければならないという原則をもっているんです。何か根源的な思想原理を述べようとする一人の人間というものは、共同性のよそおいをもってなされる批判に対しては必ず答えなければならない。ぼくはどんな場合でもそうしています。鶴見さんの思想原理に照らしても、これはそういうことになるんじゃないでしょうか。共産党から批判された場合には、必ず批判を返さなければならない。そうしなければ、つねに存在する少数者の思想を擁護して、その存立を認めるという立場が出てこないじゃないですか。この原則を守らなければ、共同性が共同性であるがゆえにともなう諸悪を全部許すことになる。こういう原則を鶴見さんがわからないというのは、ぼくにはまったく不可解ですね。

鶴見　それは困ったな。（笑）

吉本　こういう原則が守られなければ、リベラリズムというようなものは生きていけないわけでしょう。ぼくが毛沢東だったら、ちゃんとリベラリズムの存在を許しますよ。政策的に許すのでなくて、ぼくの思想原理からいって、必ず存続させますよ。思想というものをぼくはそういうふうに考えています。リベラルな思想、あるいは個人主義の思想、個人の思想というもの、個人が形成する思想というものは、これは人類が現代にいたる長い過程のあいだ蓄積してきた知恵が生み出したものですから、やはりそうとうな重さをもっている。だから、これは政策に反するとか共同性に反するということで、批判しても消えるものでもないし、超えられるものでもないと思うんです。

鶴見　わたしはそれを書くことが、自分の考えを前にすすめない場合には書きませんね。たとえば、武井昭夫が「新日本文学会」の大会でわたしを批判したでしょう。彼の批判は、もともとわたしがマルクス主義者で、マルクス主義の世界観に立っているという前提でやるわけですね。だから転向だという判断が出てくる。しかしわたしはマルクス主義者ではないし、そうであったこともない。さっきも言ったように一種の懐疑主義の立場に立っているわけです。こういう批判に対しては、わたしは自分の書いたものをよく読んでくれ、これにはこう書いているというように言い返す気がしないんですよ。だから何も言わない。わたしとしては戦後十七、八回、批判によって反省したと思っています。こういう場合はかならず答えるのです。わたしはあまり流派にこだわらないのですが、テキストの意味を理解して、その上で踏み込まれて一本とられているという批判には答えるけれども、それ以外には答えない。これを自分の原理というか、マキシムとして戦後ずっとやってきました。

吉本　それはやっぱり危険だと思うな。武井昭夫なら武井昭夫が、「新日本文学会」という共同性の名において批判する場合には、必ずそれに答えなければならない。それを守らなければ、一人の未来の文化官僚を肯定してとおりすぎさせることになるわけですよ。文化官僚というものは、文化でもなければ政治でもないというような、もっとも不毛なものですよ。こういうものは、文化の世界、あるいは思想の世界では生きられないんだということを、原理的にはっきりさせなければいけないと思うんです。そうでなければ、共同性が共同性であることによって生み出すいっさいの悪をみとめてしまう。

それからもう一つ、鶴見さんで危険だなと思うことがあります。鶴見さんは、たとえば山田宗睦の『危険な思想家』をバックアップするでしょう。山田宗睦の思想というのは、ひじょうに古い、はっきりいえばひじょうにスターリン主義的なんですよ。彼はすぐこれは政治的に右の思想であり、これは左の思想であるというふうに色分けする。

しかしぼくは、個人の思想を個人が述べるかぎり、あるいは個人の芸術を個人の芸術として創造するかぎり、それが主観的にはどんなに現在の支配者を擁護する心情に満たされていても、個人が個人の思想として展開していくかぎり、絶対に支配者には行きつかないと思うのですよ。むしろ支配者からも排除されるものとして存在している。それを、あれは政治的に右だとか、これは政治的に左だとかいう色分けで裁いてはいけないと思うのです。これは政治運動と違うところですね。

鶴見　わたしもそう思います。そういう原理に立っているんです。同志社女子大の新聞にそういう批判をふくめて書評を発表しています。つまり、ある種の反動思想を熱烈に支持している人間が芸術を生み出すとする、その憎悪の感情が真実ならば、生み出された作品が芸術的にひじょうに高いことはありうるわけですね。その創造の特徴のところを山田氏が理解しないで、すべての芸術作品を政治的な意味にだけ還元してとらえたところに問題が残っていると思います。しかし、日本の論壇全体が戦後の民主主義から流されているときには、そのことを指摘する本を、やっぱり擁護したいですね。援護に出て、そちらのデモにいるという、そういう感覚だな。だからといって、わたしはあれを全面的に肯定しているのじゃないのですが。

吉本　ぼくは、ああいう終焉すべきものは終焉させろ、不毛なるものは不毛として終わらせてしまえ、そう思いますね。

鶴見　わたしは、これはだめだと批判しながら、同時にやっぱり行くんだな。こっちのデモで、肉体をもってカバーしたいという気になりますね。ここはやはり同伴者の思想です。

（『展望』一九六七年四月号）

思想の流儀と原則

最低の了解事項と大学紛争

鶴見　『日本読書新聞』の創刊三十五周年記念特集号に「戦争が〈露出〉してきた」という見出しがついてる講演会の記録があるでしょう。昭和四十七年（一九七二年）だから三年前ですね。このなかで、戦争が露出してきたということを吉本さんが言って、戦争が終わって、このことがお互いの最低の了解事項だと思ったことがどんどん崩れていっている、国家よりもわたしの立場のほうが大事なんだ、そこから国家を見ていこう、そこに造り替えのきっかけがあるんだ、というようなことを小田実なんかが舌足らずのことばで言ってるのは、そういうことなんだ、ということを言ってるわけだけれども、つまりそこにわたしもふくめられていると思うんだが、わたしも舌足らずのことばで言いたいと思っているのは、まさにそのことなんです。そういう最低の了解事項とは何だったか、そこをつきあわせてみたら、お互いの違いも少しはっきりしてくるし、とにかく戦争と敗戦というのがわれわれのなかに深く突き刺さったことは事実です。その種子が、ある意味でこの三十年、われわれそれぞれのなかで成長してきた。そのことを話せば、おのずから前回の対談〔「どこに思想の根拠をおくか」一九六七年〕以降この八年間に何が起こったかということも絡んでくると思う。これを読んで、そういうやりかたができるなということを感じたんです。どうですか。

吉本　そりゃいいですね。

鶴見　もう少し話さしてもらうと、『敗北の構造』という講演集を読んでびっくりした。昔と違って吉本さんは雄弁になったんだね。（笑）

吉本　いや、それはねえ……。（笑）

鶴見　二十何年前に講演を頼んだときは、ほとんど黙して語らずみたいだった。要するに存在による威圧感みたいなものだけだったことを覚えているけれども、『敗北の構造』を読んでびっくりしたな、わたしは。（笑）

吉本　あれは整理してあるから。（笑）

鶴見　『敗北の構造』というのにわたしはとても教えられた。三十年前の敗北ということが自分のなかにあって、それについて語るだけではなくて、天皇制国家ができる前に日本の大衆の大敗北というのがあって、その大敗北のところまで想像力で自分をもっていき、そこから考え直していこうという視点が出てきていると思うんです。

天皇制国家の成立というのは、結局、一種のグラフト国家であって、その前に日本の大衆がもっていたさまざまな神話とか情念の型というものを、横からきた勢力がかっさらってしまって別の機能を与えた。それで観念によって大衆が抑えつけられた。そのことが戦争中に自分が抑えつけられたやりかたとダブって、ひじょうに似たものとして見えてきて、なぜ自分は戦争中ああいうふうにまき込まれてきたかというのを見返してやろうという考えになり、そこからグラフト国家としての天皇制の構造を総体としてとらえる。こういうとらえかたはおもしろいですね。

つまりおもしろいっていうのは、しょうがないんだな。結局、やってれば違いも出てくるだろうと思うんだが、わたしなんかだと、丸山真男が「政治に関するかぎりプラグマティストでありたい」と書いているけれども、わたしはそうじゃない。わたしは自分の狭さをおそれずに言えば、政治に関するかぎりはシニシズムだな。戦争が自分のなかにつくったものであって、戦争のなかばから今日まで、ずっと変わらない。それが自分の政治哲学の根本であって、だからひじょうにシニカルなんです。それが戦争中自分をもちこたえさせたほんとうの力だし、逆に言えば、敗戦の傷痕というのがわずかしかない。あるのは戦争に屈従して自分が何も声をあげられなかったじゃないかということ、それならば自分の思想は何かという問題なんです。だから屈辱感がちょっと違う。それがやっぱり書くものとか関心の違いにとてもよくあらわれてくると思う。

わたしの場合にはシニシズムになって、戦後三十年たつと、戦後の初めの五年間は、シニシズムに対しては失望的なことばかり起こったんだ。というのは、もう少し頑強に抵抗するであろうと思ったファシストが全部、生まれながらの民主主義者みたいな顔をして、どんどん論壇に登場してくるわけです。総合雑誌を占拠したんだから。これはちょっと気持ちがよくなかった。

そのうちに、ことに昭和三十五年（一九六〇年）以後、ついにひっくり返っちゃって、次々に戦後民主主義は虚妄だったとか、いろんなことを言い出した。そのとき、シニックとしては不思議な快楽があるんです。やっぱり自分の考えたカーブのとおりに動いた。その快楽は他人には伝えがたいね。これは吉本さんにはないと思う。それはひそやかな自分の快楽として、昭和三十五年以来この十五年生きてますよ。日々の楽しみだね（笑）。というのは、わたしは酒を飲まないから、新聞を読んだり雑誌の広告を見てると楽しいんだな。それがシニックでなければ、この野郎、この野郎となるわけだが、そうじゃない（笑）。酒は静かに飲むべかりける、という感じ。つまり酒の代用品みたいなものなんだ。これは倫理的によくない。毛沢東などからは叱られるだろうし、確かに人間の屑だと思う。でも、そういう面が自分のなかにあって、それが酒を飲むと同じように楽しい。

そこが明らかに吉本さんと違う。それは文体におのずからあらわれるし、わたしの文体の好みから言うと、吉本さんは不必要に、バカ野郎、バカ野郎と言っている。そこが違うんだ。わたしはそこのところで楽しむから、それが出ない。外交辞令として他人攻撃したくないから抑えるんじゃなくて、楽しんでるところがあるからそう言わない。やっぱりなあっていう感じね。だから大きく変わってくる。その根本の気分が違うんだ。認識のテーゼとして同じでも、それを導いていく情緒が違えばおのずから違ってくると思うんだけども、その方向として、いまのグラフト国家ができるときの大衆の総敗北から学ぶっていう考えかたは、方向としてはわたしは同一ですね。別の言いかたで言ってるし、考えかたの構築の流儀が違うわけだ。煉瓦なんか積むにしても違うんだよ。だけどもほぼ同じ方向だと思うね。

たとえば沖縄論についても、沖縄の努力がそういう天皇制によって奪いとられたもとかたか、、（原形）をもって日本にやってくるときに、もっと鋭いかたちで日本全体を思想的に変える力になるという指摘はおもしろいね。それは賛成の部分なんだけども、反対の部分というより気分の違いがどうしても反対の部分を生んでいく。大きい違いは、論敵に対する対しかたで、そこで吉本さんとわたしとはおおいに違ってくると思うね。わたしは人がわるいからだと思うんだ。吉本さんは善人だよ。おれは悪人なんだ。（笑）

吉本　そうかなあ、そうですかね。『敗北の構造』を読まれたんでしたら、そのなかに大学紛争のときにおしゃべりしたのが入ってるんですけども、あのときはわりあいにおとなしいことを言って、よく野次られたんです。そのとき、鶴見さんは先生をやめておられたんですかね。

鶴見　ええ、機動隊を入れたらすぐ辞表を出したんです。

吉本　大学紛争のときに、ぼくはいろんなことを言ったんですけども、一つは、たとえば東京大学の教授が一年間慶応大学に行って講義をする義務があるとか、逆に慶応大学の教授が京都大学に行って一年間だけ講義する義務があるとか、そういう意味の交流というか、国境のなさ、あるいは学閥のなさね。逆に学生がどこの学校にいようと、ほかの大学の自分の求めるテーマを追求している先生のところへ行って、そこで何かやってくれれば単位がとれる、その種の交流ができれば精いっぱいじゃねえか、それができたらたいしたもんですよ、ということをぼくは言ってるんです。

もう一つ、そのさなかに学生どもの要求は、欺瞞じゃねえか、ということを言った。ぼくは自分の学生時代の体験からして、授業なんていうのはサボればサボれるほどいいと思っている。それなのにカリキュラムに学生も参加させろっていう要求がありましたよね。そんなこと、うそじゃねえか。ぼくは「大学なんか目をつぶったって、カンニングしたってとおっちゃえばいいんだ」という太宰治のことばが好きでしてね。体験上、そういうふうにしてきたから、仮に向こうからカリキュラムに参加しろと言われたってごめんだ。それなのにおまえたちがカリキュラムに参加させろって言うのは、それこそまじめすぎやしねえか。ということはインチキじゃねえか。そもそも大学なんてものはよくなってもらっちゃ困るんだ。これは日本の社会なり文化なりの象徴であったほうがいい。学生ってやつはできるだけ悪に染まらないようにして、なんでもかんでも目をつぶって素どおりしちゃえばいいんだ。それなのにばかに糞まじめに学校がどうだとかいうのはおかしいじゃねえか。そういう二つの主張をぼくはわりあいにつよくしたと思うんです。

その考えから、鶴見さんは高橋和巳さんをたいへん評価しておられたけれども、高橋さんの『わが解体』みたいな、一種の思想的なきまじめさを、ぼくは高く評価することができなかったんです。あれはおかしいというのがぼくの考え。大学の教授なんていうのは学生に責任を負えるわけがねえじゃねえか、あんなものはほったらかしておけばいいんだ、おれは関係がねえよっていうふうにやってればいいのに、どうして糞まじめにかかわっていくのか、それがぼくの高橋さんに対する違和感で、高橋さんの『作品集』の解説を書いたときにも、わたしは高橋さんの大学紛争にかかわる態度に対してどうしても同意できない、しかしまあ健康であってください、というようなことをちょっと書いたことがあるんです。同意できない理由は、教授のほうだって同じであって、学生騒動にいちいち高橋さん的に入っていっては、両方からもみくちゃにされて思い悩む、そんなバカなことがあるもんか。あんなものはほったらかしておけばいいんだ。いやだったら紛争中、家で寝転んでいればいいだろう（笑）。それを高橋さんでも、藤田（省三）さんでも、稲葉（三千男）さんでもまじめにかかわっていく。だって責任を負える地位にも機構にもなってないのに、なにが責任なんだ。つまり過剰責任ですね。だから鶴見さんと反対で評価しなかったんですよ。さっき鶴見さんは、自分は人がわるいって言ったけど、ぼくは逆にそういう意味でもっと人がわるい。（笑）

鶴見　いやいや、人のわるさについての論争になっちゃった。（笑）

吉本　人のわるさを競い合ってもしようがないけれども（笑）、そこに違和感を覚えたということですね。まあ、ぼくは大学紛争に対しては、そういうふうに主張して、かなりのていど、学生から野次られる対象、しらけさせる対象にもなったわけです。しかしぼくは断固としておれの言うことは正しいと、そのときから思っていましたし、鶴見さん流に言えば、ほれ見ろ、おれが言ったとおりになったろうと思っています。鶴見さんのようにいさぎよく大学をやめられるとかいうこともあるでしょうけども、そうしなくても、とにかく上のほうから崩して、交流を義務づければいいわけなんだ。つまりどこそこの教授は必ずどこそこの短期大学へ行って一年間講義する義務があるという交流と、学生はどこの大学へ行って勉強しても必ず単位が取れるんだ、せいぜいそれくらいのことが大暴れしてできたらたいしたもんですよ、というのがぼくの考え。でも、そのときの気分では、それさえもできないだろうなという感じのほうがつよかった。

責任の問題と腕力の問題

鶴見　二つ問題があるんですね。高橋和巳について言えば、『わが解体』は、彼のよく知っている友だちである学生が目をやられた。それを連れて京大付属病院へ行く。するとほとんど扱ってもくれない。そのときに高橋はものすごいショックを受けた。そのときにショックを受けるのはおかしいんだ。もっと早くからショックを受けるべきだったが、彼はものすごく憤慨する。わたしが二十五、六年前に京大病院へ行きますと、前の人が受付の四十ぐらいのおばさんにものすごくいじめられてるわけですよ。気の毒だなと思った。わたしが自分の名前を出したら、わたしは京大の助教授だったので、掌を裏返すようにどんどんやっちゃう。つらいね。そういうふうになってる。京大病院がそうだし、東大病院もそうだと思う。それにあの状態のなかで高橋が初めて接したわけですよ。それは文士としたらたいへんなことだと思う。それに対して忠実にということでワーッと行ったんだと思う。それはわかる面はあるよ。おまえはきまじめだからというもんじゃないところがあると思うな。

吉本 そうでしょうかね。

鶴見 あの差別はふつうに見たっていやなものだもの。やっぱり憤慨しますよ。高橋について言えば、そう。まあ、一般には、わたしは大衆団交というのは何回か出てたけど、学生はわたしを名指しにしてパッとやらない。真の学問はとかなんとか言って、教授たちを問いつめている。わたしは雛壇にいるわけだけども、それを聞いてて、よく閻魔さまに舌を抜かれないなと思いましたね（笑）。真の学問はって、日夜勉強してるみたいじゃないか。大学教授のほうの答弁が、さらに学生より欺瞞的なので、よく閻魔さまに舌を抜かれねえな、とわたしが言ったら学生に水かけることになるから、力の均衡からいったら学生のほうへ肩入れしたい。大学にいるあいだはそう。

しかし、わたしは大学で飯を食ってることにそんなに一生懸命になりたくなかった。こんなにごたごたやって、しかも大学が機動隊を入れて学生を叩かせているでしょう。あの金属製の楯で肉を叩く音っていやなもんなんですよ。そのなかに立っていると、ああ、もうこれは教えられないという気持ちになったね。感じの問題だな。おれはここに残れば必ず鬱病になる。それだけの決断だな。大学のなかにいればどうしたって学生の味方をしたくなる。離れたら……よくまたあのころ電話をかけてきたんだ。「また機動隊来ました。来てください」なんて言ったって、こっちはやめてるんだからもう大学には行きたくない。そのていどのつきあいという意味では吉本さんと似てますよ、離れたら。

だけど、あそこで飯を食ってると、教授というのは身分になってる。機動隊に電話をかけて呼んでなぐらせたりしたら、教授には責任はあるね。あの楯でなぐられる肉の音はいやですよ。機動隊を頼んだ教授だったら、少なくともあの音を聞くべきだ。ところがだいたいは、どっかに入っちゃって出てこないんだ、なぐられてるときに。わたしはそのとき、同志社のバカ野郎って言いたい気持ちがひじょうにつよかったね。そういうことを言えば詩人なんだろうけど、不幸にして詩人じゃないもんだから黙ってて、いやあな感じをもっていた。あのジュラルミンの楯で肉が叩かれている感じがいやだな。わたしは一週間ほど毎日出て坐り込みましたが、反対してるやつはみんな出てくるかと思ったら、総長なんて出てこない。総長が来て隣に坐ってくれれば迫力があったんだけども、出てこないね。そういうのはおもしろくないけども、いま日本に起こっているもっともおもしろくないことかと言えば、そうではない。別のことやりたいと思う。

吉本　話が出たからついでに言いますと、そのときにぼくは二つのチェックすべきことを発言したと思うんです。その一つは、ほんとうに政治的関心もヘチマもないんだけども、とにかく学問が好きだという教授がもしいたら、ちょっときついだろうなということ。もう一つチェックしたかったのは、名前は大衆団交といったかどうか知りませんが、つるしあげというのがあるでしょう。それはきらいなんですよ、ぼくは。これは中国共産党の文化革命のときもそうだったんだけれども、いやでいやで見ちゃいられないという感じで、つるしあげはものすごくきらいなんです。

というのは、戦争中、ぼくは加害者のほうだったからね。そういうことも書いたことはありますけども、まあ、英語の教師というのがいますね。そうすると、文部省から軍から何から、英語は敵性国家のことばだから、こんなものはやる必要はねえんだという風潮がずっと横溢してるわけです。だから英語の教師はただでさえ肩身狭く講義している。ぼくはそのとき、米沢にいましたけども、何をやってたかというと、ドライサーの短編なんですね。教師があてても、やってきませんでしたという。ただやってきませんでしたならいいんだけども、だいたい、こんなものは敵性国家のことばであって学ぶ必要ない、と一人が言えば、そうだ、そうだ、というふうになるわけですよ。そうすると、ただでさえ恐縮している教師がますます恐縮する。ぼくはある面ファナティックだったですよ、戦争をやれっていうほうではね。だけど個々の面ではそうでもないんですよ。ぼくはわりに英語ができましたから、そういうときにあてられなくても黙って立って読んで訳して、和らげるわけですよ、先ちゃんを。

だけれども、そんなことはほんとうは意味がない。ぼくに戦争は反対であるという理念がないかぎり、究極的にはそのていどのことではどうにもならないわけですよ。やっぱりそんなことやったって、これは敵性国家のことばだという風潮に対して、くっついていく。その種の体験がいくつかあるもんだから、つるしあげるということは、たとえ何であろうと、それだけはものすごくいやだった。だから、大学紛争のときも中共の文化大革命の場合でもぜったいに肯定しないわけですよ。これはもってのほかだ、一人対一人ならどんなに批判しようとかまわないけど、つるしあげはもってのほかだというのがぼくの考えでしてね。そこのところだけは気にくわないっていうことをぼくはそのとき発言しているとと思います。鶴見さん流に言えば、ほら見ろ、そら見たことか、おれの言うとおりになったろう、というのが大学紛争に対するぼくの感じなんですが。

高橋さんのようにまじめな人、まあ、高橋さんだけじゃないでしょうけども、それとおれは違うっていうのがありまして、ただつるしあげるのはもってのほかだと思ったのです。逆に言えば、ぼくだったら腕力でやるわけですよ。もう話し合ったってしようがないじゃないか、壇を降りれば対等なんだからやろうじゃないか、ということでやるわけですよ（笑）。事実、ぼくは、そういう場面に当面したことがあります。それは大学紛争の問題じゃなく党派的なものですが、集団的妨害に対して、よし、それじゃいくら話したってしようがないからやるか、ということでぼくはやったことがある。するとおかしいんだ。よし、やるか、と胸ぐらをつかんで、あわや一発という感じになるでしょう。そうすると学生のほうは何と言うかというと、知識人が暴力をふるうとは何ごとですかというんです。

（笑）

鶴見　そりゃおもしろいね。（笑）

吉本　それも女の学生に言われて、多少は女の子にもてたいっていう気持ちが潜在的にあるわけでしょ、だからものすごくいやだったですね（笑）。しかし、ぼくは知識人が暴力をふるうとは何ごとですかもヘチマもあるもんかと思うわけです。壇を降りればただの人ですからね。やろうかといった場合、もうそれよりほかしかたがないわけですよ。だいたい初めっから妨害するつもりで来ているんだから。鶴見さんはそうは思わんでしょうが、ぼくは説得の問題じゃないよと思うわけ。そうすればやるよりしようがない。やったら多勢に無勢で負けるかもしれないけども、そんなことは結果論であって、やりゃいいんだろう、やりゃあ、ということになります。

鶴見　最終的にはわたしもそういう立場になったんですが、まず第一に大学がカネをもってる場合には、入学試験をしなくちゃいけないなんてことはたいしたことじゃないんだ。カネをもってるぜい肉の部分をどんどん減らしてでもじっと耐えて、学生と対峙し討論して、自主ゼミナールなんかできるんだから、学生のなかに入ってやるというふうなことを一年も二年もやってみたらいいじゃないか、というのがわたしの考えなんだ。だから自由大学というのをつくって、まったく自主的にやる。大学のほうは財産をもってるわけだ。そこが危殆に瀕したら、いまの吉本さんのやつでやろうでいいんですよ。そこまで行ってなくて、依然として権威という意味で上に立ってるだけじゃなくてカネをもってるんだから、そいつはおもしろくないんだな。そいつが平行して行くところまで行って、最後、学生は親がかりなんだろうし、おれたちは家族をかかえているんだというので互いになぐりあいをやろうじゃないか、それでいい。その前に、も少し一年や二年じっと耐えてやったら、おのずから気風は一新するでしょう。そういうこと。

きわどい問題に対する流儀

吉本　なるほど。鶴見さん、そこがちょっと(笑)、ぼくと違うんじゃないかと思う。ぼくはすぐにやろうじゃないかっていうふうになるわけ。そこがきっと鶴見さんの発言されるものの切れ味とか、核心の突きかたの角度とか原動力になってるんだろうと思いますけども、鶴見さんには身をやつしたいっていう衝動というか、欲求があるでしょう。つまり思想家としての鶴見さんの根本的なモチーフは何なのかを考えてみると、鶴見さんが身をやつしたがってるところではないかと思うのです。それが、いまのことばで言えば、話し合いとか、中間段階のコミュニケーションを通じて何かが出てくるかもしれないという着想の根源になっているんじゃないかと思う。

だからぼくは、すべての鶴見俊輔論のなかでだれの何をいちばん上位に置くかといいますと、村上一郎が書いた文章があるんですよ。ほらいちばん痛いでしょうが、鶴見さん。昔、わりに名門の子どもたちを集めて座談会をやったとき、鶴見さんが、自分は総理大臣になるか乞食になるかどっちかだ、というふうに発言したので、村上一郎はびっくりしたっていうふうなことを言ってる。いまでもおそらく鶴見さんには、そういう意味のラジカリズムがあると思うんです。だけど鶴見さんが、そういうふうに言えるということは、それ自体たいへん恵まれていることを意味するんじゃないのか、自分にはとてもそれだけ言う力はなかったと村上一郎は言っている。

そこのところから、鶴見さんの身をやつしたいという願望が思想家としての原動力にもなっているんでしょう。またある意味で、中間段階でコミュニケーションを重ねていけば、何かそこから出てくるかもしれないという着想の根源になってるというふうにぼくには思えるわけです。ぼくにはそれがない。もう居直っちゃえばいいっていうのがある。そこのところがいちばんおもしろいところでもあるし、鶴見さんのいい点でもあるし、また弱点でもあるようにぼくには思われるんです。だからぼくは鶴見さんの「論壇時評」を読ましてもらって、たいへんおもしろいと思いましたけども、鶴見さんが取り上げている人は、八割か九割がたぼくの気にくわないやつばかりなんだ（笑）。十割と言ってもいいけれども、ちょっと遠慮して、だいたい八割がたは気にくわんなというやつばかりをとりあげて、いい、いいと言ってるわけよ（笑）。ぼくはひじょうにびっくりしちゃいましてね。鶴見さんはおれに読ませるために書いているんじゃないかと（笑）。まあ、それは冗談ですけど、そう思いたくなるくらいぼくの気にくわないやつ、だめだ、だめだと思ってるやつばっかりを、いい、いいと言っている。

それはどこからくるかといえば、『北米体験再考』か、「リンチの思想」（『展望』一九七二年五月号）のどちらかで、思想を体系化することによってちょろまかすとか自分をだめにするというのは自分はとらない、ということを書いておられた。それは鮎川信夫との対談でも、ぼくに対する批判みたいなかたちで出てきたのがあるんです。それに対してぼくは言うことがたくさんありますけど、そんなことはまあいいとして、ぼくが閉鎖的なものをつくっていて、話し合いもヘチマもないっていうように、体系外のものは初めからつっぱねちゃってるというように鶴見さんから見えるのと同じような言いかたを、ぼくのほうからすれば、鶴見さんの「論壇時評」みたいなものは、現在の状況の上澄みをしゃくってるという感じがする。これはきょう鶴見さんから聞きたいことなんですが、上澄みをすくうということに対して、ぼくは異議があるわけですよ。

何が上澄みかといった場合に、たとえば現在の世界状況みたいなものを論ずる場合に、逸してはならない重要なことの一つは、ソ連と中共の鎬《しのぎ》を削る対立、あるいは流血をともなった対立です。そのことを抜きにして、現在の世界認識は成り立たないとぼくには思える。鶴見さんはそう思ってないかもしれないけれども、ぼくは、その対立は、おまえのほうも共産主義と言ってるんだからいずれはいっしょになるけども、いまは対立しているんだというていどのものじゃない。そうとう決定的なものだと思っている。だから言いかえれば、これからあとの世界状況を決めていく、そうとう決定的な要素だというふうに思えるんです。このことに触れないで「論壇時評」もヘチマもないじゃないかというのが、ぼくの鶴見さんの「論壇時評」に対する感想なんだ。それについて鶴見さんがとりあげてるのは、佐々木基一の「批林批孔」というのはちょっとおかしいんじゃないかと言ってる文章、ぼくの見たかぎりではそれがただ一つです。ほんとうのおかしさというのはそれどころじゃないでしょう。それを抜かしたら世界認識なんて成り立ちはしませんよ、というのがぼくの考えです。だからぼくが、みんな上澄みじゃないですか、だいたいとりあげてるやつの八割、九割はだめなやつばっかりじゃないですか、というのは、ぼくが閉鎖的なシステムをつくりたがってるというのが鶴見さんのぼくに対する偏見だとすれば、ぼくの偏見はそういうものなんですよ。

　ぼくは八年ぶりに対談するんだから、きわどい問題、つまり鶴見さんがとりあげられないけれど、しかし国内の問題としても重要な問題について、意見を聞こうじゃないかというのがモチーフになっているのです。そこのところで、大学紛争から連合赤軍事件、内ゲバ、爆弾事件、部落問題といろいろあるでしょう。すべてそれはきわどいので、この際やっちまおうか、全部あばいてやろうかというようにやれば、ぼくはそうとうやれると思うんですよ。ぼくがそんなことやったって、またかと思われるでしょうけれども、鶴見さんがそれに対してどういう意見をもっているか聞くことは、ぼくにとってはたいへん大きなモチーフであるわけですよ。これから八年後にもう一度やりましょうかと言ったって、ぼくは生きてるかどうか自信がないですよ（笑）。そういうふうに考えると、ぼくは、この際そういうことを聞いとかなければいけないんじゃないか。

新聞やなんかでのだいたいのとりあげかたを見ますと、ひどい奴らだ、奇想天外だというようなとりあげかたか、あるいは爆弾事件のシンパ、あるいは内ゲバ事件当事者の手前味噌の発言か、その二つしかないんですよ。もしいま、思想でもって何か言えることがあるならば、そのことについて何か言わなければ、だれも頼りどころもなければ批判のしどころもないということで現在というのは過ぎてしまう。現在が過ぎてしまえば、これからあとも過ぎてしまう。日本のもの書き、表現者というのは、いちばん肝心なところで肝心なことを言わないで過ぎちゃうんではないか。言わないことのなかには、もちろん内心で言えば、沈黙こそ良心だということがいっぱいあると思いますけども、それを打ち込んで読むほうの側から言えば、自分でも岐路に立っているというときに、そのことについてだれも何も言ってくれない。あるのは、どうだ、たいしたもんだろうという発言と、こんなのは気違い沙汰だという発言と、それしかない。こんなバカなことがあるものかという感じをもつだろうと思うんです。「論壇時評」からどうしても洩れてしまう、どうしてもそこへ組み入れることができないことで、しかしそのことは重要なんじゃないかということについて、やっぱりぼくは鶴見さんの意見を聞きたいと思いますね。(笑)

鶴見　それは根本的な批判になるんだけども、いくらか流儀が違っているということがあって、論争に対して論争的に絡んで何か言うというのは、わたしはひじょうに苦手なんです。たとえば中国の社会について、小島麗逸《こじまれいいつ》や山田慶児が書いたものを評価していくことはできます。そのことをふくめて、ソ連と中国について自分はこういうふうに評価しているということは、だいたい理解してもらえるだろうという気持ちがあって、そういうふうにいつでも書いてきた。戦後ずっとそうなんです。なかには論争のなかに割って入って、論争的に絡んでいってうまくやれる人もいますよ。しかし、わたしの場合、それでうまくいったためしはほとんどないんでね。実際、戦後三十年書いてきたなかで、論争的なものというのは二点くらいしかないんです。ソ連の官僚主義のまずさとか、スターリン粛清についてとか、これはわたしが石原吉郎についてかなり書いたので自分の考えかたはわかってもらえるだろう。それから中国については、わたしはあまりよく知らないから書いてないけれども、「論壇時評」では小島麗逸をとりあげたし、これはこれで考えかたというものはわかってくれるだろうというふうに自分からは判断するんですけれどね。

吉本　それはどういうことでしょう。つまり何かを媒介においてものごとを考えていくというのが、いわば鶴見さんの本質的な方法だからということなんでしょうか。

鶴見　本質的な方法じゃないと思うんだ。単純にもの書きとして自分のとった流儀であって、自分の生きかたとしては違いますね。道を歩いてる人間としては、わたしはだいたいズバズバものを言うほうなんですよ。実際、デモに出て坐り込みなんかするわけだが、それはまた別のものなんだ。それを全部もの書きのところへもってこない。だから端的に言えば、わたしは世界的な意味で富の再分配はしなきゃいけないと思うし、助け合いもしなきゃいけない。けれども世界の隅々まで規制するような科学的な計画性というのはあまり信じていない。それは政治の権威によって、いわゆる科学的な考えかたを代行させるということだと思う。つまりいままでのマルクス主義に対する根本的な批判なんです。そこには政治と科学のすり替えがある。それがマルクス主義に対してわたしが完全に同調できない一つの原因です。

プロレタリア独裁によって政治は科学になったという宣言があるでしょう。そういうのはスターリンにも出てくるし、日本でも石母田正にそういう文章があるんだけども、そういうときに、ああ、おれはこれをのむわけにいかないということがあるわけです。実際、彼らの言ってることはまちがいだということは実証的に明らかだと思う。だけども依然としてマルクス主義の運動のなかでは、それが神話として破砕できないわけですよ。これは一応いままでのマルクス主義につきものであって、わたしがどうしてものめないところなんです。世界の隅々まで全部計画委員会で科学的にやるというやりかたが世界の中央政府でできたとしても、わたしはそうとう不信をもつね。根本的に富の再分配がなきゃいけないし、原則的には肉体的に働くことができる人たちは働いて、老境になったらだんだん働きかたが少なくなったというふうにやったらいいとは思うけれど。

それと観念で考えるものは全部無力かというと、わたしはそれは疑問だと思う。わたしはいまの暮らしのなかで言えば、飯をつくるのがうまくないから皿を洗います。皿を洗って買い物に行くような肉体労働くらいをやる。自分のなかに肉体労働をいくらか置くっていうことはものすごくたいせつなことだと思うから、小さいけれど自分をそこへ置いてるわけですよ。だけど、それは全部の人がやらなきゃいけない、あらゆる人間は同じように年齢も何もなしに全部働けというのはまちがいだと思うね。観念は観念によって何かできるんだし、つまりトータルに疑う視点というのは人間にとってひじょうにたいせつだと思う。そういうものをふくめて、もう少し基本のやりかたを考えてもらいたい。

しかし、基本的に、ソビエトのやりかたは科学的と称して一部の人間が政治的に決定するという基盤をふくんでいたからぐあいがわるい。それを中国のやりかたはいくらか是正している。つまり大衆個々人というか、集団としての大衆の感じがあるから、それぞれの小さなグループに分けてよくなってると思うけども、依然としてそのなかでの行きすぎは出てくると思う。それをチェックする力は中国の思想のなかにはまだ出てない。

これはわたしの基本的な考えかたで、そういうふうなことは、いまここで一応雑談としては言うし、聞かれれば、いつでも道を歩いてるときは言いますよ。デモの隣の男にならば言える。しかし、ここで遠大な論文を書いて、一つ『世界』に出してもらおうとか、『展望』に出してもらおうということになると、そいつは書かない。それは私人としてのわたしの意見であって、別に実証的なデータがあって、中国に行ってものすごく研究したというわけじゃないんだもの。

原則と交叉路

吉本　ちょっと好きな女の子をさかんにくどくんだけど、ぴたっと心に蓋をされてるみたいな感じですね（笑）。もうちょっと違うところからもう一回ほじりましょう。（笑）

鶴見さんは「リンチの思想」のなかでコンラッドの『密偵』というのをとりあげているんですけども、そのなかでデモクラシー・プールみたいなのがあって、これはぼくの読み違いかもしれないけれど、そういうのを媒介にして、たとえば過激派的な要素、また得体の知れない要素が出てきたとき、それに対してデモクラティックなプールみたいなのをとび越えないということは、たいへん重要な問題になってくるという発言をしておられるんですけども、ぼくは逆の意味もあるような気がするんです。ぼくは決定的にわるいことばでそういうことを書いたことがあるんですけども、日本の親アラブ的なラジカリスト、ハイジャックをやったり、テルアビブでテロをやったりしたグループがあって、これは情報が正確かどうかわからないけど、日高（六郎）さんのパリにおける住居が、そういう連中の寄り合いのプールになったという記事があるでしょう。それがぼくは気にくわない。

その種のことは、日本の市民主義のなかにずいぶんあるわけです。つまり、たとえばべ平連がどんなにそれらのプールになってるかわからないということがあるわけですよ。なぜなら、べ平連が人を殺すのもいやだ、ラジカルに早急にどんどんやっちゃうこともいやだ、戦争もいやだ、そういうことを原則としている運動であるならば、ぼくはやっぱり、おれは違うんだからと言ってつっぱねるべきだ、と思う。つまりそこで市民主義がそれをつっぱねないことが、どんなにデタラメなものをはびこらしていくか底知れないと思う。そこが小田実でもそうなんだけども、ぼくが気にくわないとこでね、あのバカが（笑）、自分の原則というのをちゃんと書いてるから、ぼくなんかよくわかりますよ、だけど自分の原則を逸脱したものに対してプールの役割をするでしょうが。もっと言えば、三菱重工みたいなけしからん生産をやっているやつは、吹っ飛ばせ、そんなことおれだってしたいくらいだ、みたいなことを発言するでしょう。そういうことはよくないことだと思うんです。

そういうことを言うなら、べ平連自体が吹っ飛ばしたらいいんですよ。吹っ飛ばす人はほかのイデオロギーをもって自分なりの主観的には正しいと思う理念でやっている。それに対してまったく市民主義の立場で運動者としてふるまっているわけでしょう。そうしたら原則が違うからだめですよ、ということをはっきり言わなければいけないとぼくは思う。言わないから抱擁家族になって、プールになっちゃうわけ。プールになるということは、いわば助けるということになる。

包括的に言えば、どんな方途をとろうと究極目指すところはそう変わらんのだという観点で包容することは、ぼくはいけないんじゃないかと思う。いまの段階でもそうですけれども、これからもそうだと思います。ほんとうに決定的な状況があるなら、そのときは別なんですけども、いまはそうじゃないということはだれの目にもはっきりしているわけです。いまの段階で市民主義の原則を守って、原則以外のものはぼくはいやだよ、口もきかんよ、というふうにしなければ、思想をもとにした運動というのはどこかに未来が見出せるみたいなことはありえないと思う、というのがぼくの観点です。いちばん非ラジカルな観点をもっていながら、しかもどんなデタラメなラジカリズムでもそこにプールとして包容してしまうという役割をしているのが、べ平連みたいな市民主義の団体だし、市民主義的な考えかたをしている人たちがいちばんそういうことをしていると思う。ほんとうに非暴力だということを標榜しているんなら、それは原則が違うからと突っぱねなければいけない。そういう役割ができなければほんとうは意味がないんだ、というところからぼくはおたずねしてもいい。

鶴見　ガンジーがものすごく大きな運動をつくり出しながら、あるとき運動を切っちゃって、またゼロから再組織する。あれはものすごく立派だと思う。それを切っていくだけの力量がべ平連の運動にはなかったということが言えると思う。もちろん運動が大きくなればなるほど困難です。しかしガンジーはもっと大きな運動に対してそれをしたわけなんだから、できないはずはない。それはやはり思想的な力不足だと思う。と同時に、もう一つこういうことがある。これはいま言ってることを打ち消すみたいなことになるんだけども、わたしがタッチしているかぎりでは小田みたいに運動は大きくならないから、プールになりにくい。

しかし、こういうことがあるんですよ。わたしは交叉路《クロス・ロード》ということをとても考えるんだ。あるところに来て、ここから別のところへ行く人がいてもいい。いまのポイントではこれをやるというんだったらいっしょにやりましょう、というのがわたしの考えかた。だから完全に初めから終わりまで、つまり方向、目的まで同じように限定されたやりかたでプログラムをつくらない。方法が違ったら出て、別のやつをつくりなさいと言いたい。わたしが戦後やってきた運動は小さい運動だったから、それでできた。大きくなればたいへん困難になる。しかしそれでもやれたはずだ。その一点ではガンジーのほうがもっとよくやったじゃないかという批判は、べ平連に対してすることができると思う。しかしいまの交叉路として思想のかたちを提出するということには、わたしはわたしとして固執したい。それは流儀として重大だと思うし、自分の書いてきたことの重みもすべてそこにかかるという感じのところですね。

もう一つ、わたしは政治というのを動物の政治学みたいに考える。あんまり高級なことと思わない。シニカルだからでしょうね。人が寄ってワーッとやるでしょう。あんまり観念の笠をかぶりたくない。いったん観念の笠をかぶると、内容はたいしたことないのに、いろんな別のことで口実を設けてやっていく。なるべくもっと裸の状態で離合集散をやりたいわけです。そうすると、このグループのなかでは少数意見が言える雰囲気かなとか、最後にこの人は怒り狂っちゃって他人に責任を負わして粛清するんじゃないか、ぶっ殺したりするんじゃないかとか、これは理論構成の方法だけじゃなくて動物のカンでわかる。そういうことはわりあい注意していままでやってきたし、なぜわたしが小田実にくっついてきたかというと、その原因は率直に言うとそれにある。小田の感じは、あるときにグーッと頭にきて粛清をするような人間じゃない、なんかのんびりした感じがある。全体が責任を負えないようなウルトラの状態になったら、逃げ出すだろうという感じがあるわけですよ。理論もへったくれもないね。これは動物的な感じ。

わたしは子どものときから政治家を見てるから、政治家を動物的次元でしか評価しない。自分がつくる集団についても動物的な感じ。何でもものを言えるから、反対の意見を言えるからという感じをなんとかしてもちたい。小さなものから中くらいの集団なら動物的な次元でそれがわかる。ところが大きくなったときには、なかなか動物のカンではわからないところがあるね。もちろん今西錦司みたいな生態学的な方法を用いれば、まだまだいけると思うし、そういうふうに政治を動物学的に理解したいというシニカルな面もある。

そこからいくと、そんなに綱領をきちっとすみずみまでもっていかない。そのことはいまの吉本さんのプールになってるという批判とおそらく間接的に絡むでしょう。わたしもプールになるのは吉本さんの言う意味でよくないと思います。逆に、おおいにわれわれが力をもって、しかもプールにならないように努力すべきだったと思う。無差別に爆弾を投げることはいいとは思わない。大衆運動としてすべきじゃない。爆弾をなげる運動には大衆が欠落していますよ。それからいって反対です。それと見まごうような、いろんな空気をつくっていくということを、やりたい人がいつでももぐり込めて、あるグループのリードをとれるという点で、べ平連運動のいろんなまずい点があったということは認める。だが、同時に、そういうまずさをつくりやすいけれど、そこには固執したいものとして二つの方法があるわけです。

一つは、さっきの交叉路のかたちで、これはひじょうに重大だし、自分としてはそれくらいしか政治に対してプラスしたということはないと思う。安保のときもそうなんだ。「声なき声」の小さなものなんだけども、最大公約数よりは、動物的なカンですね。

もう一つは政治における日常性の問題であって、わたしはひじょうに日常的なことにこだわる。家庭は人の経験する最初の集団だけれども、家庭のなかであんまり両親が尊敬されないような家庭を子どもが三つ四つのときからつくっていけば、小学校に行ったってあんまり先生を崇拝しないだろうし、受験勉強もガリガリになってやらないだろうし、大学に入ってから突如としておとなにだまされたとかなんとか言わないような人間になるだろう。両親を小さいときから尊敬しないような人間は、逆に両親に対して同じ人間だからといたわるだろう。それが両親にとって実は得なんだということを言いたい。そういうふうな人間形成をしていけば、それが政治の動物的な次元まで入っていく。そうすると政治はいくらか変わると思う。わたしはそういうことにかけてる。その日常性をほっといて観念だけでやれば、いつかは無視していた日常性に復讐されると思う。

内ゲバに対するわたしの観点というのはそれで、動物学的なものなんだ。これだと、まず吉本さんの言うことを認めて、しかし一発また逆に自己弁護みたいなことをしたことになるけれど、それがわたしの考えかた。

吉本　いまの二点というのは、ぼくは別に異論がないところでして、別にどうってことはないんです。

それでいいんじゃないかなというところで、受けとっていいと思います。ただ、そのことは、抱擁国家みたいになって、プールになってしまうということに対するチェックにならないように思うんですよね。ぼくは閉鎖的な体系みたいなのをつくって、その体系にはずれるものはつっぱねてしまうような傾向があるって鶴見さんはおっしゃっていたけれど、ぼくの体系というのはドン・ファンでも包容しちゃうようにできてるとぼくは思ってるんです。だからそんなことないんだよ、というふうに言いたいところがあるんです。

鶴見さんの、動物的な反射というところで政治の問題もまっとうに処理できるところがあると言われる、それに対応するぼくの考えかたは、体系的と言えば体系的なんですけれど、個人としての個人の観念と、組織みたいな共同体としてもってる観念というものは、ベ平連のようにゆるかろうが、あるいは規約的綱領をもって党を結んでいるというのでも、まるで次元が違うんだというふうに考えないといけないというのが、ぼくのシステムをつくったと言われてる場合のひじょうに大きな観点なんですね。なぜ内ゲバや爆弾事件みたいなものを起こすかというような場合に、ぼくは理念的にそれはだめなんだよと言えば、それでいいんじゃないかと思ってるわけですけども、なぜそういう理念が出てくるかという根本のところで、ぼくができる唯一のチェックのしかたは、わたしとしてのわたしというのと、共同体の組織のなかのわたしというのはまるで次元が違うことなんだ、ということを自覚的にはっきりとさせれば、それは消極的であってもチェックになるというふうに、自分の考えかたというかシステムをはっきりさせてきたように思うんです。ですから鶴見さんが言うほどぼくのシステムは閉鎖的ではないように思ってるんです。

鶴見　そこのところはよくわからないんだけどね。『言語にとって美とはなにか』という本をずっと読んで、そこにちりばめられている具体的な批評は、わたしにとってすごくおもしろかった。ひじょうにしなやかなんだな。それと同時に理論のほうは、あのとき与えられた戦後マルクス主義というのがあるでしょう。

吉本　はい、はい。

鶴見　創造の余地を残さないようなものね。それに対抗する力としてはあれだけごり押しにやらなきゃならないんだということはわかるわけなんだけども、あんなに硬直した体系をつくらなくていいんじゃないか。個別的な作品の批評はこんなに柔軟なのに、理論体系とその応用篇の両方が水と油みたいな感じがして、そのときの印象がぬぐいがたいんですよ。たとえば『うえの』（タウン誌）に書かれたような文章は、理屈なしに好きなんだ。わたしのいちばん好きなものは、ああいうものだな。作品論で言えば、芥川龍之介論なんか出てきますよね。けれども、そこを離れて理論で、ブロック積みでやっていくところを見ると、ウワーと。（笑）

吉本　やりきれねえな（笑）。ぼくのモチーフから行きますと、そのときのものを見ても、感じかたからいっても、そうしちゃわないと、それから十年なら十年という射程を考えて、自分ももたないかもしれないけども他人ももたないんじゃないかというのが、そのときの感じでしてね。だからシステムって言うけれど、それは自己体系をつくるみたいなことよりも、この体系はいくらだって修正はできるんだよ、という用意はいつでもしてあるつもりなんです。言ってみれば、あなたの言う動物的反射と同じ意味合いで、こういうシステム自体が自然だよと言いましょうか、見かたによっていくらでも修正はできる、自然だよ、という意味合いで設定しないと、これからあと十年なら十年、あるいは五年なら五年の射程でもたないだろう、自分ももたないだろう。自分ももたないかもしれないけども他人ももたないにちげえねえっていうのは、やっぱりそうとう大きなモチーフだったと思うんです。

たとえばいま、中国が固執している社会主義のイメージとか戦略とか理論と、ソビエトならソビエトのもってるイメージとまるで違うじゃないか、とてつもないことになってるじゃないか。そういう意味で鶴見さん的に言えば、それ見たことかというふうになっているわけです。そうすると、閉鎖的云々よりも体系自体を、あなたの言う動物的反射というのと同じで、わりあいに自然ということでつくっていたら、自分も救われるかもしれないけども、だれか読んだ人もそうかもしれないというふうなモチーフと、そういう意味の危機感というものがあったわけですよ。

つまりぼくは、そのときには、すでに世界には社会主義ブロックと資本主義ブロックがあって、社会主義ブロックのほうでは、こちらのほうがいいんだぞと、そういうブロックに入れていくということで世界を獲得する。資本主義ブロックのほうは、そんなことはない、とんでもないよ、というふうなことで、ある場合には武力をもって武器をどんどん与えて防衛するとか、そういう考えかたはだいたいだめだろう、どうせなくなっていくだろうと、ぼくには自明のように見えてたと思うんです。そうしたら何もないじゃないかということになって、結局、何やったってどうしたっていいということになるんじゃないかということのなかで、せめてもあなたのおっしゃる動物的反射に該当するものを観念の上で設定するとすれば、もうそういうやりかた以外にない、とぼくは思ってたと思う。だからわりあいにそれは自然だ、あれはいつでもオープンだからどこだってこれはだめだと言えるし、そういうふうにできあがってるんだよと、ぼくはそういうふうに思ってやってきました。だから、それ見たことかというふうになるわけですね。

そこのところでぼくは、鶴見さんの言う動物的反射みたいなものはわりあいに肯定するわけですし、十字路のところへぶつかって、どっちへ逸れていこうと、それはいいんだよというのと同じように、このシステムのところで、これはだめだよ、と思ったやつが違うほうに行って違うものをつくったって、そんなことはその次元では言うことはないし、歓迎することであるし、その次元で対立が起こるということは、少なくともぼくなんかがやってる内部では現在でもないと思います。ぼく個人なり、わたしであるわたしということになってくると、あなたのおっしゃるとおり、ああ、おもしろくないな、ということで何かやるっていうふうなことはありますけども、それは区別できると自分で思ってるわけです。

大衆文学評価の軸

吉本　もう一つ動物的反射ということといっしょに鶴見さんが言ってることは、鶴見さんの大衆芸術というものに対するたいへんな関心と評価のもとにあるわけでしょうけども、状況がきびしくなればなるほどいわばじりじり硬直していっちゃう、それに対して笑い飛ばしてしまう役割というか、機能は、大衆芸術の存在理由としてひじょうに重要なんだという観点が述べられていますよね。それは「リンチの思想」に対して解毒剤というか緩和剤みたいになりうる機能があって、それは重要なんだという鶴見さんの観点が一つあると思うんですよ。ぼくは、そこのところでちょっと待ってくださいということがあるわけです。大衆文学ということで象徴させるとしますと、確かにそういう機能と役割と存在理由が大衆文学のなかにあると思うんです。たとえば、野坂昭如の作品のなかにもあるし、また井上ひさしの作品のなかにも確かにある。そのかぎりでたいへんすぐれた部分としてある。だけれども、ぼくはそれを全面的には肯定しないわけです。なぜかといいますと、鶴見さんは気にくわないでしょうけれども、文学のなかには、極端に言いますと、二つの方向があって、一つは読者というものは一人もいらないんだ、これは自分に対する自己表現だ、そこをどんどん行っちゃうことがたいへん重要だということがあると思うんですよ。

鶴見　もちろん、もちろん。気にくわないと言われるけど、まあ、身をやつしていると批判される。わたしにそういう局面があるということはわかっているんです。それは別に気にくわないことないんですよ。（笑）

吉本　それはちゃんと言っとかないといけないんですよ。くどく言っとかないといけないんです。それは鶴見さんに対してじゃなくて、言っとかないと誤解を生ずると思う。たとえば鶴見さんの評価している井上ひさしでも野坂でもいいんですよ。いいとこもありますよ。やつしというのは両方にあると思うけれど、ほんとうに評価したら、そんなにいいとは言えないんだよ、ということを、ぼくは文学としては言っとかなくちゃいけないと思う。

　それはどういうところかというと、例をとれば簡単に出てくる。鶴見さんが例にとってる『道元の冒険』みたいなものをとらないで、井上ひさしなら『手鎖心中』をとるとするでしょう。そのなかに何があるかっていえば、それは大衆芸能・文学について一般的なんですけども、井上ひさしが幇間、戯作者というのを描く。そこだけはものすごくお誂え向きなんですよ。いかにも幇間なんですよ。大衆のなかに漠然と、幇間というものはこういうものであって、江戸っ子というのは義侠心に富んでいて、宵越しのカネはもたなくて、というイメージがあるでしょう。つまり一つのパターンというのがある。井上ひさしの作品では、たとえば幇間といったら、まったくお誂え向きに書かれている。だけど実際の幇間、リアルな幇間は描かれていない。型としての幇間が描かれている。そこをタッチしようとしないでいくわけですよ。やつしたところからくる突き崩しがあって、それはたいへんおもしろいところだ。井上ひさしのひじょうにいいところというか特徴だと思います。だけどもうそこでは満足しているわけです。幇間というのはこういうパターンだと、ご当人がちっともそれを疑っていない。わかるでしょう。そうは思わないですか。思うでしょう。

鶴見　『手鎖心中』については、わたしは一行も書いてないですよ。(笑)

吉本　『道元の冒険』でも同じなんですよ。井上ひさしは大衆文学のなかでは最上の作家であるし、最上の作品だと思う。野坂でもそうだと思います。だけれども、これをほんとうに評価してはいけないんですよ。ということは、別に人間が描かれていなくてもいいんです。ただ幇間というものの概念がパターンとしてしか描かれていないということが問題なんです。戯作者といったら、いかにも戯作者だという一般に流布された観念以上にはけっして描こうとしていない。そこで満足している。

それに対して読者なんか一人もいなくてもいいんだよ、この小説は難解でだれも読むやついないけれどもこれは立派なんですよ、そういうことが言える作品があるとすれば、大衆が描いているパターンを全部ぶち壊しているからぜんぜん通じないということなんです。極端に言えば、そうなんですね。だからパターンとしてしかない幇間、パターンとしてしかない道元、パターンとしてしかない戯作者、それが大衆芸術の特徴だとは思いますけれど、そこでちっとも疑いを抱かないことに対してきつくなければいけないと思うんです。そこのところをはっきりさせないといけない。

それは鶴見さんにとってはある意味でどうでもいいことで、これが自分の思想的なモチーフに対してかなり上等な素材を提供してくれているということでいいのかもしれないけども、文学を一つの中心的課題にしている者にとっては、そこはそう手放しで、いいよ、と言ってはいけないと思います。なぜパターンとして少しも自分が疑ってないかというと、それは大衆文学・芸術というものは、いつも他者あるいは読者っていうものを無意識のうちにちゃんと勘定に入れているからだと思うんです。そこがまたいろいろ問題になります。

たとえばぼくは、『言語にとって美とはなにか』に対する竹内成明さんの批評〔「吉本隆明の言語論批判」〕を読んだことあるんです。要するにコミュニケーション、読者ということを文学において考えてないじゃないか、という批評なんです。それはナンセンス、そんなこと言ったって批判にはなりませんよ、とぼくが思ってるのはそこなんですよ。

つまり大衆芸術・大衆芸能は、確かに質がよくなってきていますから、いいものはいいんですけども、自分がちっとも疑ってないことがある。それはひとりでに読者というのをいつでも勘定に入れている。読者のイメージにある幇間というものに対しては、自分自身そこを疑おうということはないわけです。パターンとして大衆のもってる、ヘヘッというシニカルな目から、高級ぶったもの、まじめくさったものを笑いとばしてしまう、それをぶっ壊してしまうものはあるわけですけども、しかし究極的に言ったらだめですよということは、ちゃんと言っとかないとぼくはいけないように思うんです。

鶴見さんが、あらゆる高級ぶったもの、じりじりしたもの、硬直したものに対して笑いとばしてしまう、それによって崩壊させてしまう、しらけさせてしまう機能というものがあるということで、それを手放しに評価したら、それはぎりぎり錐をもむようにして内ゲバをやったり爆弾を投げたりというものの内面性、組織性に対する評価としては足りないと思うんです。もっと内在的に評価しなけりゃいけない。

つまり、外から見ればバカなイデオロギーにいかれやがって内ゲバをしたり、爆弾事件を起こしたりして、なんてバカな野郎だということになりますけども、それを内在的にかいくぐっていきますと、現在の世界認識にとってたいへん重要だと思われる真剣なドラマがそのなかにちゃんとふくまれていて、それほどふまじめでもバカでもない人たちが、そういうふうに必然的になっちゃってるという契機というものを、批判するにしても何にしても評価しなければいけないという問題がすっこ抜けちゃうように思うんです。だからそのところは、鶴見さんの、たとえば「リンチの思想」のなかで述べられている観点で、ぼくが不満だなというところなんですよ。

鶴見　いまの話の最後の最後のところは実によくわかるし、わたしのもっている想像力を超えたところで、考え直さなくちゃいけないところだと思うんです。つまり、同じ人間がおれもまた観念の共同体に囚われたときには、同じようにリンチを受けるであろう。観念の魔力だな。おれもまたというふうにとらえていく普遍的な視点がなきゃいけないし、それをもってリンチに対さなきゃいけないというのはひじょうによくわかるんですよ。そうだと思います。

その前の段について反論したいんですけれども、考えの道具だてがいくらか違うのは、パターン、パターンとパターンの利用をして、あるていどまで大衆芸術はつくれる。あるていど、大衆芸術はパターンでいけると、吉本さんは考えられるわけでしょう。だからパターンをつけた紋切型を完全に否定させるという立場に立てば、大衆芸術は全体的に否定しなきゃいけない。しかし、そのパターンを超えるような流動的なものが出てこなきゃ芸術らしい芸術じゃないんだぞ、ということを言わなきゃいけないということがある。

吉本　そう。

鶴見　そこでわたしはもう一つ言いたいことがあるんです。月雪花とか、坊主だとか、そういう型があって、俳句はだいたいそうだし、流行歌もそうですね。それがそれぞれの人の、まったく固有の状況のなかに移し植えられたときにどういう意味を開花するかという問題ね。つまり、状況ぐるみわたしはとらえるんですよ。土のなかに生えた木として、種子が生えていく過程として、わたしは大衆芸術をとらえたい。たとえば、戦争中、ジャワで海軍病院に入ってて、わたしは小学校しか出てないから兵隊病舎ですよね。そうすると、いろんな人が月なみ俳句をつくる。いまだに覚えているんだけども、看護婦が「今宵はも星は静かに兵を守《も》る」とか、一人ひとりがそういうものをつくっている。水準は決して高くない。だけど、その人たちはもう帰れないかもしれないんだね、看護婦も兵隊も。自分が生きてきたすべての、個人史に特有なものをかけてこの月なみ俳句をつくるわけでしょう。

そうすると、おのずからさっきの話の交叉路みたいなもんだけど、意味が繁茂してるわけだ。ヘルダーリンも何もあったものじゃないですよ、それ。そのときにヘルダーリンにくらべてどうかなどと批判することはできないということを感じる。「第二芸術論」というのは、そりゃ意味があるけども、それをそのまま全部のみこむわけにいかない。それが戦時体験をふりかえってわたしがとる考えかたです。わたしは小学校しか出てなかったことがよかったと戦後になって考えるようになった。小学校しか出てないからこそ、ああやって兵隊病舎で暮らせたわけだ。往復ビンタもくったし。日本でもっと上の学校を出ていたらそういうふうにならなかったと思うね。違う病舎に移るんだから。そこのところから考えていきたい気持ちがある。それはちょっとやつすというのと違うんだな。そこを状況ぐるみとらえるというのは。

　吉本さんの言われるような、型どおりでないものも作者にとっての意味はありますよ。自己にとっての自己というおもしろい問題があって、自己にとっての、そのまた自己にとっての自己っていうふうに、どんどん、どんどん分裂していくところに意識のおもしろさがあるわけだ。そういうものがある。と同時に、作品は型どおりのものであっても、それぞれ固有の状況のなかに種子として落ちて、いろんなしかたでやっていく。だから「誰か故郷を思わざる」というのは一つの型ですよね。これがいたるところで兵隊にうたわれる。「さらばラバウルよ」もそうなんで、各個人それぞれの情感がそこに絡みついている。わたしにはそこから見ていきたいなという感じがある。それは月雪花とか、みんな紋切型なんですよ。しかし紋切型が紋切型じゃないときがあるんだということを言いたい。それだけなんだ。そこがわたしとしたら自分の大衆芸術論としての根本的な方法なんです。それは型としてはよくない。わたしがやったよりは佐藤忠男とか寺山修司のほうが、ずっとみごとに同じ言いかたで作品論を展開してる。しかし、わたしがもってる根本的な着想というか理論的な装置としては、それなんです。

吉本　つまり状況ぐるみということなんですね。

鶴見　はい。

パターンの破壊と型にこもる感情

吉本　ぼくのそれに対応する考えかたを申しあげますと、観念というものが大衆的なパターンというところからいって、きりきり錐をもむように狭くなり、同時に、言ってみれば、だれもが使う意味で高級なものになっていきますね。そういう過程というのは、ぼくは高級になっていくということじゃなくて、観念にとって自然過程だというふうに思っているんですよ。ぼくのなかにだってそういう部分はあるわけだから。ぼくだって「さらばラバウルよ」という歌をうたうときがあると思います。けれども観念というものはそういうところから出発しても、ほうっとけば必ずきりきり狭くなって、俗に言う高級なものになっていくのはきわめて自然だという考えかたがぼくにあるわけです。それは人が言うほど、意思し勉強して自分を高級にしているんじゃぜったいにないと思ってるわけ。つまりそこのところには高級さはないと思ってるわけ。ほんとうに観念の問題が意思して、あるいは意識してとらえられる段階というものは、そういう自然過程を、きりきりしたところから逆にもう一度自分のなかにある「さらばラバウルよ」というものを見ることができたとき、そのときがほんとうに自覚的な知識過程じゃないか。つまり知識の過程の究極の問題というのは、そういうことじゃないか。

だから大衆芸術にしろ大衆文学にしろ、黙っていたっていま日本の高級インテリの頭にしか宿ってないようなものは、いまに大衆自体がそういうものをもてるようになる。それはほうっといたってこれから何十年かたてばそういうふうになります。だからそのなかには知識の課題というのはあんまりないんで、つまり性欲がなくならないようにいつまでたってもなくなりませんよ、ということをきりきりしたところからもう一度つかまえられるようになれば、あるいはつかまえようとすることができるならば、それは知識の課題に値するんじゃないかという考えかたがぼくにあるわけ。自然の過程じゃなくて、人為的な、あるいは自覚的な、それこそテーマ的な知識的な課題は、そういうところにしかないんじゃないか、というのがぼくの鶴見さんの言う状況ぐるみ大衆文学というものを考えたいというのと対応する考えかたですよ。

鶴見　知識の課題としてはそうだと思う。それはそれで話はわかった。けれどわたしは大衆芸術を高い低いと感じていないわけですよ。要するにカントとかウェーバーとか言ってる連中、つまり学徒兵なんていっても別に思想として大衆と違う道を選びはしなかった。知識人にとっても大衆にとっても、捕虜を殺さないかどうかは別のところからけじめが出てくるんだということを言いたい。それがわたしの最低の了解事項の一つなんだ。それだけは守りきりたいし、この球だけはもって駆け抜けたいわけだ。

吉本　わかりました。それはそれでいいじゃないですか。それはちっとも反対じゃないんだ。ぼくのことばで言えば、あんなものは自然にそうなったということだけであって、自覚的に高級なことでもなんでもないですよ。ご当人だけが高級だと思ってるだけで、そんなものは自然にほうっとけば、だれだって「さらばラバウルよ」となりますし、そういう人のなかに「さらばラバウルよ」というのはあるでしょう、ということはあたりまえのことなんだから、そういうことを隠してカントとかヘーゲルとか言うことないでしょう、という観点、ぼくもそのとおりなんですけども、ぼくが言いたいことは、ぼくのシステムは、それがうまくできていますよ（笑）。そういうことを言いたいだけです。そんなぬかりがあるはずはないんですよ。

鶴見　まあ、少なくともわたしが見たかぎりではそこにふくまれていないということは、一つはきわめて卑俗なことがあったからで、あんまりたいしたことじゃないんだが、もう一つは卑俗じゃなくて、わたしとしてはひじょうに重大なことなんだ。人間はどうしてももうろくして死んでいく。実際にそうとう勉強したって、熱帯でひげなんか生やしてポーッとしてるとほんとうにぼけてくるんだ。もう学問なんか全部忘れちゃって、帰ってきたときはぼけて、二、三年、何もしないと思う。わたしは会ったことはないけども、清岡卓行なんかそうだったと思うんですよ。そういうのは何人もいる。わたしと同じところに行った学者でも、帰ってきてしばらく何もできなかった時期がある。そういうもんだと思うんですよ。人間はつねにそういうふうになるし、むずかしい状況に立たされればそうだし、かなりみごとな仕事をして大学を出た人間だって、十年主婦業をやってるとそうなる。そういうときに「ありがとう」とか「さよなら」とかいう型に全部がかかってくるようになってくるんだな。ほんとに死ぬときなんてそれだけというか、そこが念仏やなんかの意味だと感ずるんですけれどね。

わたしが万が一、人を殺すようなことがあっても、殺すのはよくないという方向に何かの力で向いていたい。それは南無ということかもしれないし、何でもいい。紋切型にすぎない、そういう型が人間としては最終のことなんだ。それは言語とか人間の表現のかたちの、一種の抜けられざる宿命なんですよ。だから型は最後まで残るであろうという感じがあるわけ。そういうことを考えると、にわかに型だけだという批判には同じがたい。そこはやっぱり自分の人生がかかってるという感じがあるね。わたしとしたらかなりきちんと定義をして、ほかの人の学問とは違うオリジナルな体系をつくっていきたいという野心が二十八、九まであった。ところが、戦争でたくさんの人が死んでいったでしょう。そういう人の影が戦後何年かたって自分の上にかぶさってきて、なんとなくいやになって、気落ちがして、そういう方向に向かってエンジンがかからなくなった。究極的に言えば、南無みたいなものなんだ（笑）。戦後にいくらか学問的な仕事をしたけども、心は違うほうへ向いたわけだ。だから型にすぎないという批評のしかたにはにわかに同じがたいんです。それが一つ。

もう一つはきわめて卑俗的なことで、あんまり言いたくもないんだけども、すごくばからしいことで、百も承知だと思われるけど、吉本さんの体系も状況のなかに置かれるわけですよ。わたしは六九年に大学に辞表を出したけれども、それまでの大学のいろんな運動を見ていると、「大学の共同幻想を破砕し、真の大学を黄金の腕に」というスローガンを聞いたり、またそれがでっかく看板に書いてあるわけよ。そうすると、ああ、吉本隆明はここにいると思うわけだ（笑）。でっかい看板に対しているると、なんとも言えずしらけた感じがするわけだな。それはあんまり好まないね。「共同幻想」というのをこのように使うわけよ。いまの大学の教授たちがもってる共同幻想はくだらん、欺瞞的なものだと。そりゃそうでしょう。そいつを破砕して大学の学生運動が出てくる、それが真の大学をわれわれの手のなかに握ることだと。

こういう考えはくりかえしくりかえし共産党の運動のなかに出てきたし、ソビエト連邦をつくるときも出てきたし、粛清のなかにも出てきた。このパターンから抜けてない。さっき吉本さんが小田氏とべ平連の運動に対して批判したと似たような問題は避けることはできないんだね。それは体系のつくりかたの問題と関係があると思うんですよ。たとえば吉本さんが『言語にとって美とはなにか』で書いたようなことは、ちらっちらっと予感として、たとえば平野謙の作品論のなかにあった。彼は瞥《べっ》見《けん》したわけだ、昭和十年代に。戦後もそのような瞥見が作品論のなかにあります。平野氏は、そういう意味での体系をつくらなかったから害も小さいわけですよ。吉本さんは体系をつくったから害もまた出る。それは卑俗的なことで、わたしはそんなにこだわりませんよ。わたしは政治に対してシニカルだから、こういうことはたいしたことだと思ってない。だから吉本氏はけしからんとか、政治的害悪を流したとかいうことは言いたくはない。わたしにとっての小さなエピソードにすぎないからね。けれども、そういう意味で吉本さんとの出会いをここでしたのと違うかたちで大学のなかでしてるわけですよ。つまり〈吉本隆明〉と出会っているわけだ。するとこの出会いはかなわんなと思う。（笑）

吉本　なるほど、わかりました。それじゃ卑俗のほうからいきましょうか（笑）。それに対してぼくがそんなこと言ったって無効だよ、と言われるかもしれないけども、ぼくはぼくなりのチェックをしているわけですよ。それはどういうことかといいますと、たとえば自分の書いたものがうまく受けとってもらえるだろうなと想定される、自分のなかの漠然としたイメージがあって、それは最大限に見積もって数千だと思うんです。数千の人は、そうへたなわかりかたをしないんじゃないかと思っています。そうするとぼくは、数千なら数千の読者が想定される以外のところにはいくら言われても書かないし、そういうところでおしゃべりしたりしないというチェックを自分ではしているんです。

たとえば週刊何々でも何とかジャーナルでもいい。ぼくは『毎日新聞』をとっていますから『毎日新聞』でもいいです。そういう数十万、数百万という読者が想定されるところへは、ぼくは言われても書かない。なぜならば、あるていど曲解なしにわかってもらえるだろうなと思うのはどう考えても数千を出ないと思うから、それ以上のところでどんなふうに読まれるかということは自分の責任をもてないわけですよね、固いことを言えば。それだからおれは責任ないよ、というふうにぼくは言わないけども、それに対しては自分なりのチェックはしているんだということは主張したいところです。

それから、高級なほうの問題なんですけども（笑）。鶴見さんが出された例で言えば、ひじょうに高度に知的な仕事をやった大学出の女性がいて、それが主婦業になればパッと忘れちゃう。それはそのとおりでしょうけども、ちゃんとそういうことも言っていると思います。つまり主婦業自体、おかず買いに行って、帰ってきてごちそうつくって、子どもの世話なんかして、そのこと自体もやっぱり、さっき言いましたように、大学で一生懸命勉強したか研究したかした、そこのきりきり詰めたものでもって、もう一回つかまえることはできます。それ自体のなかに、もっと知的な欲求が入りこめるはずです。そのことが重要なんであって、買い物したっておもしろくないから欲求不満である、べ平連の会合へ行こうじゃないか、地域婦人の集まりへ行こうじゃないかという発想は、ほんとはだめなんじゃないかというふうにぼくは考えているわけですよ。買い物に行って、おかずをつくって、子どもに食わして、弁当をつくってやった、はい、一日は終わり。外観からいったらちっとも変わらない。

だけども、そのことを抜きにして、要するに知識的な課題は別だという着想はだめなんだ、というふうにぼくは考えてるわけ。

鶴見　政治思想的な問題はわかった。安保のときから、そういう立場ですよね。わたしもそういう立場なんですよ。だから市民運動というのが大衆の政治的無関心を叱るのには反対だ。無関心を叱るなんていう市民運動はもう市民運動じゃないんだ、ということを言ってきた。それは異論ないんだけど、いまの井上ひさし批判で、型だけにすぎないということに絡めて、「ありがとう」「さよなら」、そういう型にこもる感情はあるんだ。わたしはそういうものに向かって生きていきたいという気持ちが、戦争の末期からずっと自分を導いてきたことなんですよ。

吉本　なるほど。それでいいんじゃないかな。ということは、自分も究極的にはそういうふうにしかならんだろうというふうに思う意味ではそのとおりだと思いますけどね。ぼくがちょっと違うことをしたいし、自分ではそうしているつもりだと思ってることは、さっきの月雪花というパターンがありますよね。そうすると、そのパターンは、たとえ社会的な機構がどう変わろうと、その時どきの支配者あるいは支配的な権力というものと同調、つまり同じになっちゃうんじゃないかということがあるんですよ。

鶴見　その問題は残る。

吉本　それだから月雪花というものは、平安朝末か、そういうところで形成されたパターンなんでしょうけれど、どうしてもそのパターンに異議を申し立てたいというところがあるんです。というのは、どうしてもそのパターンに食われちゃう。そこへ行くんなら、三島由紀夫さんの考えかた、つまり

『文化防衛論』のなかへ出てくる考えかたを肯定しなくちゃならんのじゃないかなということがぼくにあるもんですからね。それを壊さなきゃいけないんだ、壊すにはどういう方法があるんだということを、ぼくは自分ではやってるつもりなんです。というのは、こうなんですよ。

比喩的に言ったら、いまの古典学者でも、また古典の好きな文学者でも、そういう人たちが、『源氏物語』でも何でもいいんですけども、これをやる場合に、よく絵巻物にあるように、髪を腰まで垂らして、十二単か何か着た美形の宮廷の女とか貴族が、絢爛たる物語をつくったみたいなイメージというのになっていくでしょう。それは月雪花と同じようなパターンですよ。だけど、そういうパターンで古典をつかまえられたらもうかなわんよ、ということがあるわけですよ。ところがぼくが見ている範囲では、まず九割までそうなってます。だけどぼくがやってることは違うと思います。

比喩で言いますと、紫式部というのは、いまみたいに毎日風呂へ入れるわけじゃないから、体を拭くぐらいが精いっぱいで、風呂はひと月に一回とか二週間に一回しか入らないでしょうし、石けんがあるわけじゃないでしょう。だからいまの人の衛生観念から考えたら、あんな女の人、臭くて近寄れないよ、という感じだと思う。だいたい腰まで垂らした髪を毎日洗うのだってたいへんでしょうけれど、そんな習慣もないから埃だらけだし、シラミがたかってるかもしれない。また明りにしたって電灯があるわけじゃないでしょう。油があって、灯芯に火をともして、それでもって書いてるわけだから、顔は煤けているし、窓をあけると月の明りはあるかもしれないけど。だから薄暗いところでどうしようもなく汚ない女の人が書いてるわけですよ。それも高級な絢爛豪華に書こうという芸術意識があるわけではない。教育意識はありますね。それを読まして子弟を教育するということはあるかもしれない。けれども、そうして書かれたものだから絢爛でも豪華でもないわけよ。家もそんなに大きな家に住んでない、実際問題として。薄暗い家のなかでみじめったらしく書いてるわけよ。そういうふうに書かれたもんですよということは、ちょっと言わなくちゃいけないということがある。

パターンとして言えば絵巻物的パターンですけれど、そんなんじゃない。文学というものはそういうもんじゃないし、古典を書いた人はいまの人が考えてるほどいい気持ちで書いてるわけじゃないですよ。古典というものはそういうものなんですよ、けっして月雪花じゃないですよ、ということをぼくの欲求としては、ちゃんと言わなきゃいけないと思うんです。そうでなければどうしたって三島さんのようになりますし、どうしたってぼくの経験では、戦争中の美的な意味での天皇制に行ってしまうと、ぼくには思えるんです。鶴見さんにはそういう警戒心が経験上ないかもしれないけども、ぼくはわりあいにそれにとっぷり浸《ひた》った感じがありますので、ひじょうにそれを警戒するんです。ですからパターンを警戒するんですよ。

もっと高級なところで言えば、いまの古典学者がやってることは、ぼくから言ったら九割だめです。右から左まで全部だめだと思います。それはなぜかというと、絢爛豪華ということが無意識のうちにあるんですよ。美男美女がいて、そういうのがこういう物語の世界を書いたとか、こういう歌をつくったとかいうイメージがあって、そのイメージに対して、こんなのは反対だと言ってる左翼古典学者がいたり、まったくこのとおりだと思ってる古典学者がいたり、みんなイメージがそういうパターンなんだ。そのパターンに対して、それを仮想敵とするか、そうでなければそれを肯定するかになってるとぼくは思います。

古典の理解に月雪花の理解のしかたというのはあるんですよ、ということはどうしても言わないと、それは自戒もふくめてですけども、また同じだよということがあるから、それはやっぱりぼくにはたいへん重要なことになりうるわけなんですよ。別にそれが唯一だとは言いませんけども、ぼくの経験上のパターンから言えば、どうしてもそうなります。それはまったく無効である。ほんとうはきわめて煤けきった、汚ない、お粗末な明りの下で眼をシバシバ伏せながら書いている。どう考えてもそれが絢爛豪華な衣裳を着たやつが書いているとはぼくには思えない。そんなもんじゃないですよ。そういうところで古典を古典とつかんじゃいないですか。だからパターン、パターンと言ってはいけないんじゃないかというのがぼくのモチーフ。そういうふうに体験的に理解してくだされぱいい。鶴見さんはとっぷり浸ったということはないわけで、わりあい冷めて体験していたわけだから感じないでしょうけど、ぼくはとっぷり浸ったほうですから、またこういうことがあっちゃかなわねえ。だからそれはそういうのではない道をどうしてもつけなくちゃいけないみたいなモチーフになってきます。

鶴見　その話はわかりますよ。流儀はひじょうに違うんだけども。わたしだったらいまの型だって、戦後のいまの天皇制国家のやりかたが昔からあったわけじゃないんだ。昔は別なものだったんだ。だから古典見たって、それのなかに断片的に一種の残欠として別のものを見ることができるじゃないか、別のさまざまのことがあったんだ、というふうにまっすぐに型をさかのぼっていって、というふうに別の息吹きを込めたいと考えるわけです。それは流儀が違うんですけどね。その点は逆にわたしは吉本さんのほうは警戒心がないかもしれない。だから初めの内ゲバの論理という問題で言いますと、わたしのほうは、当事者の論理に即していると思うんですよ。そこから迫力が出ていると思う。わたしの考えかたとか扱いかたは、傍観者の論理なんですね。学生運動の内部にいたこともないし、当事者としての責任感をもって対してないわけだ。そこのところは違うと思うし、そういう意味で吉本さん独自の迫力というのは認めるし、もう一つなかへ入れるんだという考えかたはなるほどと思う。けれど、それとは別に、いまの型の問題に入ってくると、ただ流儀だけから言うと、吉本さんは傍観者の論理で、わたしはわるい意味もふくめて、素朴な大衆の当事者の論理になっているんだな。

吉本　なるほど。

鶴見　逆の型になっていると思うんですよ。

（『展望』一九七五年八月号）

未来への手がかり

希望はトンネルの向こう

鶴見　七十六歳になったんですが、肉体的な気分としては昔より明るいんだ。希望的とも言えます。七十六年の人生は短かったが、今の一日は長い。家の中にじっと座っていて時間が流れていく、それだけで味わい深い。味覚は落ちても、時間の味わいはずっと深くなっている。

吉本　僕は逆で、ここ一、二年肉体的には内向しています。事故や病気があって、そこからどう脱出したらいいかわからなくて……。肉体への内向というのは大変だなという思いが強いです。

鶴見　明るいという意味は、肉体という器に慣れてきたということなんだ。生まれてからずっと違和感があった自分の肉体に、ようやく慣れてきた。

吉本　ただね、自分がそうなってみて思うんだけど、老人はみんな、自分の一番つらいことを口にしていない気がします。足腰の弱りは見てわかるけど、身体や精神の本当のつらさを若い人に言ってない。だけど、老体というのはすさまじいものなんだぜ、と口にする必要があると思う。

そうでないと、高齢化社会の本当の問題が見えてこない。老人の肉体も社会状況も、人生五十年時代とは全然違うんだから。もっと広げて、二十一世紀の家族のあり方や社会制度、教育問題など全部考え直しだ、というところに来ていると思います。

鶴見　家族ということで言えば、私は小さいころ不良で悪人だった。母親が溺愛のあまり、ぶったりけったりひどい折檻をした。私も母を愛していたために、めちゃくちゃ苦しい。だから復讐心で自殺未遂はするし、思いつく悪行を何でもするしで、孤独な独りぼっちの悪人だった。これは「愛の悲劇」そのものだった。

吉本　その話を小中学校の先生たちに聞かせたいですね。いじめや少年犯罪で、親と教師が会議を持とうと発言しています。そうする義務や権利があるかのように。でも違うでしょう。親や教師は背中を見せることしかできない。説教したって子供は聞くわけがない。説教型の社会で未来に開けるはずもない。かえってやりきれなくなります。今は親も教師も背中を見せて、後は制約なしに自由にさせておけるだけです。

鶴見　十五歳まではひどいものだった。そのせいで、その後の戦中の孤独に耐えられた面もあるが、こんなに悪いことをした自分が、よくこんなふうに今生きているな、とも思う。

吉本　今もね、落ちこぼれず、いじめられずで来た子だって、偶然そうなっただけですよ。現在という時は希望にも絶望にも確かな根拠はない。だから個人としては、希望と絶望が小刻みに繰り返されていくのではないでしょうか。ただ社会制度となると話は別です。

鶴見　日本社会に希望があるとは思う。でもその前に、長いトンネルがある。もう入ってしまった。時間は確定できないが、トンネルは相当長いし、脱出の簡単な処方箋などない。「新しい車が欲しい。あれが欲しい。これが欲しい」と言ってる世代の後に、ぜいたくの記憶がちっともない世代が現れるだろう。路地で遊び、飯に梅干し入れるような。そういう世代が出てくれば、そのときトンネルを抜け出る機会だ。そこからゆっくり新しい仕組みを構築できる。そこが私の希望だ。

吉本　僕も、近い未来はどうだって聞かれれば、まずは「いやあ、暗いよな」と言うよりない。日本の消費社会は地盤沈下してますから。

開かれる日本へ

鶴見　一八五三年と一九四五年と一九九九年を考えてみたい。ペリーが黒船で来て、ともかく明治国家をつくった。これは偉大な産物だったが、もったのは日露戦争まで。それなのに、この型のまま続けて、四五年の敗戦に至る。今度はマッカーサーが飛行機で来て改革したが、明治国家の根幹は残った。そして八〇年代からまずい段階に入って九九年。しかし、もうペリーやマッカーサーの再来を当てにはできない。自分たちでトンネルをくぐり抜けて、開いていかざるを得ないんだ。

吉本　日本は戦争中何でも「大本営発表」で、国民一般には何も知らせなかった。ところが米占領軍が入ってきて、どんな小さなことも一般大衆に「声明」を出して説明していた。これには感心したし、戦争してもかなうはずなかったよな、と感じました。今も同じで、米国は大統領の、本当はどうでもいいような個人的な問題まで、ぱーっと開いちゃう。あそこまでやればはじけてしまう。さすがです。

鶴見　クリントンは〝偉大〟だね、偽善的ピューリタニズムが無化されてしまった（笑）。しかも、米国人の反応が成熟してるよね。

吉本　日本政府のやり方は今もって「大本営発表」のままです。これは共産党にいたるまで同じです。鶴見さんの言われる長いトンネルは、日本が世界経済と直結しつつ地盤沈下しているってことでしょう。その対策は金融から産業まで「間接法」の公共投資にすぎない。しかし実は国民一般を基本にした「直接法」しか有効でないはずです。国民経済に最大の影響を持つ個人消費に向かって直接に公共投資する以外、不況から速やかに離脱できないでしょう。

鶴見　そこに面白いことも潜んでいるんだ。総理大臣や大蔵大臣がいくら消費を奨励しても、だれも言うこと聞かないでしょ。自分の好きなことを自分で決める。オリックスのイチローだって「コンビニがいい」と言うんだもの。私は景気がなかなか回復しないことに、日本の民主主義の成熟を垣間見ます。

吉本　「未来への手がかり」と言うとき、一つだけ強く言ってみたいことがある。それは「国家を開く」ことです。本当は、ばらけちゃえと言いたいけど（笑）。国民国家のバランスは考えなくていい。国家を開く方向へ行かなければ希望は持てない。国内的には緊急な場合は「国民一般が政府のリコール権を持つ」ことです。半数以上の国民が無記名で投票し政権交代させられる。その権利だけは、切実にほしい。

鶴見　国民にも国外にも開かれる日本というのが一つの理想だ。その理想を抱き続けるだけじゃなく、そこへ向かって進むほかない。例えば、北海道と東北と沿海州、長州と朝鮮、鹿児島と沖縄と台湾というふうに国民国家とは別の単位で交流していく。未来的にそうなればいいと言うにとどまらず、長い過去をみてもそこへ行き着くと思う。そういう見方の中で現〝王朝〟は小さくみえるし、国民国家の絶対性はさらにわずかの時期しか成り立たないものにみえる。

吉本　これから十数年は、新しい仕組みと倫理はこれだ、と断言できない。「言ったら間違うぞ」と思います。しかも過去の、既成のやり方は通用しない。社会主義の日本的アレンジなんてのも、全然ダメです。そうなると、やっぱり「今が考えどころだぞ」と思います。この十数年を、前倒しや先送りなしに「考えどころ」として向かい合い、新しい仕組みや倫理を編み出さねばならないと言えます。

太宰治から受けた「不思議な感覚」

鶴見　第二次大戦中は、ずっと「悪い戦争をしている」という意識を持っていた。不義の日本が負けるのは正しい、と。だけど一方で、怖くてしょうがない。負けるのはうれしいのに、自分が死ぬのは怖い。だから自己嫌悪の塊だったね。

吉本　僕は二歳年下で、その二年で少し違う感じでした。ちゃきちゃきの軍国少年で戦争に突入して、そのうち縁の下に防空壕掘って隠れるようになって、それから「もういいや、面倒くさい」って、空襲警報があっても平気で寝てたりの悪ずれでした。敗戦後は「どうやって先へ進めるか」と、数年間とても苦しかった。思想的に解決できたというより、肉体が若くてその活力で死ねなかっただけのような気がします。

鶴見　不義の戦で死ぬのかという私と、義の戦で死のうとした吉本さんの違いですね。私は自己嫌悪のまま敗戦になった。年上の連中がはしゃぎだしたときは、不思議でしょうがなかった。自分の良心に照らして「自分はだめだ」と思ってたから、頭を垂れるばかり。そういう意味では、気分は、鮎川信夫ら「荒地」の詩人たちに近かった。

吉本　小林秀雄や保田与重郎、横光利一たちは、もう精神も身体も敗戦に耐えられないんだな、と感じました。そんな中で太宰治は、戦後すぐの時期にちゃんと作品活動をやれた。彼は若いのに頑張ったな、と思います。

鶴見　あのころ太宰治の家を二度訪ねたことがある。二度ともいなくて――それで良かったんだけど――、すごい家なんだ。雨漏りをたらいで受けて、その横で赤ん坊が寝ている。で、駅のプラットホームに行くと、太宰が戦中に書いたものが売られている。戦中に彼が書いた言葉が、敗戦後の私の胸にことごとく落ちた。天下にただ一人の作家だと直観した。

吉本　この人は正気だなと思いましたね。流れと勢いがあった。そうとう後になって第一次戦後派が出てきて、戦前と戦後の通路が分かるようになったんです。

鶴見　そのころ、ある座談会〔「すぎゆく時代の群像」一九五九年八月〕で、橋川文三と私たちで話したのが、初めの出会いでしたね。太宰作品から受けた「不思議な感覚」を三人とも共有していた。

吉本　僕らは戦前の気分というのが分からなかったのだけど、鶴見さんの「私のアンソロジー」という文章に感動しました。この人は、おれたちみたいな軍国少年上がりの感性が分かる人だ、と。戦争に負けるのが正当だと言う鶴見さんと、僕らの感じを分かる鶴見さんの両方があった。東京裁判についても、僕らの感覚への理解があって、「ああ、こんなすごい人がいるのか」と思いました。

鶴見　私が小学生のころにマルクス主義の本はもう回収されていて、クロポトキンだった。しかも訳は大杉栄と伊藤整の名訳。マルクスじゃなくクロポトキン。不良の道を歩いてアナキズムへという道程でした。

「老年」のきつさを言葉に

鶴見 吉本さんが「ここのところ暗い」と言うのは、まだまだ新しい問題がわき起こっているからですよ。私は問題が消滅してるようなものだから、かえって明るい。あなたの近著『アフリカ的段階について』は暗くない。初期の『固有時との対話』のころの方が暗かったんじゃないか。

吉本 早く明るくなりたいですよ。ただ、自分がなってみて思うのだけれど、来世紀の前半に「四人に一人が老人」という社会になると、家族の役割がますます大きくなるでしょう。ところが人生五十年時代とは、個人の肉体も社会環境も違うから、高齢化時代の家族の「条件」は未知数です。老人も、老齢が楽しいなんてことだけでなく。本当にきつい感じを言葉にできていないと思います。

鶴見 画家の須田剋太さんがね。亡くなる前に、京都で飯を食って西宮まで送ったことがあった。夜中に着くと「寄っていきなさい」と誘う。妻もお手伝いさんも起こさないまま二階へ上がる。そして、うすで作ったいすを寄せ、その上で逆立ちしてみせたんだ。お茶も出さないが、送ってくれた礼にと逆立ちする。私にとっては桃源郷でした。

吉本 そりゃすごいな。

文学者でも、老齢になると日記とか瘋癲老人なんとか、を書く。ちゃんとした小説書いてきた人でも薄まってしまうんですね。志賀直哉ぐらいかな「早く死にたい」と言ったのは。逆に、僕の好きな思想家で言うと、親鸞は晩年、さっさと坊さんをやめて京都に帰る。一宗一派をたてるなんてしない。

弟子の質問に書簡で答えるくらいです。そこは好きなところです。

鶴見 自分自身の楽しみの質が問題ですよね。クオリティー・オブ・ライフ。何が自分の人生のクオリティーなのかを考えなければ。

吉本 これまで僕は、年寄りというのは、だんだん足腰が弱って、目が不自由になって、だんだん年を取っていくという「見える過程」として考えていました。でも実は見えない精神のところで、すごく厳しいのじゃないでしょうか。そのきついところを、老人は他人に言わない。僕は「老年」「老体」のきつさをどんどん言ってやろうかと思ってます。

鶴見 私は、年を取って時間の味わいを深く感じるようになった。子どものころには考えられないことだ。

吉本 少し前にテレビで、鶴見さんのお姉さん、社会学者の和子さんが倒れて、車いすでリハビリに励む姿を見ました。「学者というのは重労働だからもうできない」と語っているのに感動しました。あーっと思った、物書きが重労働だとは、だれも言ったことがなかったんです。

鶴見 船が荷物を投げ捨てるように、自分の本来のもの、オリジナルだけで勝負する感じです。運動神経はマヒしたが、言語はやられなかった。すると、かつて親しんだ三つ、和歌と着物と日本舞踊が支えになる。学問をしてきた人が倒れて目覚めたら和歌。これにはびっくりした。

吉本 和子さんの言葉には、体が不自由になってから何をやるんだとは言っていないけれど、その答えに向かう示唆がありました。

鶴見　私は割と早くから吉本さんに注目して、ずっと読んできました。最近、文芸批評家の加藤典洋が、中野重治の「村の家」と吉本さんの「転向論」を結んで読んで、六十年間という時間の枠で整序した。これはいい仕事だ。戦争が終わり「知識人が自力再建のコースを探るというのでない道」を中野が探り、それを吉本さんが戦後思想の型としてつくった。

加藤典洋の読み取りによれば「戦争中に間違った自分から外に出ない。誤りの中から、誤りをつえにして歩く」という思想のドラマです。学校にたとえれば、教師から教えられない、誤ったまま教室に一人で居残ってもがく。そういう思想のあり方を、あなたは編んだ。

吉本　僕や谷川雁が極端な場所から出てきたとき、鶴見さんは「分かってくれる」得難い人でした。文学なら文学で分かってくれる、という人はいるんだけど、全体的に分かって正確に読んでくれるのは鶴見さんだけだった。それが、僕らのようなヘンなこと言う者たちには、どれだけ力になったかしれない。

鶴見　転向問題と連関していうと、私は最初、吉本さんの「大衆の原像」という考えがよく分からなかった。しかし、『最後の親鸞』という著作にその手がかりを読みとりました。親鸞は最後、説教もしないし、非僧非俗のレッテルも甘んじて受ける。関東の開拓者にまじって何ものかを受け取って京都へ帰る。つまり「精神の母型に戻る」ということだ。

「転向論」『最後の親鸞』から、最近の吉本さんの『アフリカ的段階について』は一筋につながって、現在にいたるまで私に影響を与えている。母型から未来を考え直すこと。その仕事が、私たちにはあるんだ。それが遠い未来への希望なんだね。

吉本　いやあ、僕の仕事が鶴見さんに影響しているってのは、たいしてないですよ。親鸞からの比喩で言えば、鶴見さんは法然だ。比叡山の超エリートなのに、比叡山を下りて一宗をひらく。最も秀才といわれた人が、最初に勇気を奮って山を下りる。さんざんたたかれたりするが、やはり叡智の人だ。法然がいなかったら中世の新興宗教、特に最も寛容な宗派は成り立たなかった。

それと同じで、戦後思想の結節点に鶴見さんがいてくれた。僕らのような極端な連中もおさえられる。鶴見さんが、丸山真男さんや久野収さんと違うところです。それが、僕らがやってこれた潜在力になった。鶴見さんが京都で何か考えているぜ、ってのがずいぶん気持ちの助けになってきました。

鶴見　私はもう引っ込んでいるんですよ。もっともっと引っ込んでいこうと思ってる。（笑）

吉本　いや、「引っ込まないで」と思います。僕が鶴見さんの存在感から自立できたのは、ソ連が崩壊して共産党がずり落ちたころ。僕の好きな千石イエスの言葉でいうと「客観が動いた」（笑）。でも、この国は、ほっとするとすぐ客観が動く国だから、鶴見さんには引っ込まないで流れをつくってほしい。僕も、「ほっとしない」「引っ込まない」やり方で、自分なりに進もうと思っています。

（一九九九年一月　共同通信配信／「北日本新聞」一月一日、五日、七日、八日他）

解説　思想の原点としての敗戦

大澤真幸

本書は、同年代に属する二人の戦後思想家、鶴見俊輔と吉本隆明のそれぞれの思想的な立場が、相互に照らしあうような言及の中で明晰に浮かび上がってくる諸作品と、両者のあいだの直接的な対論二篇を収めた論集である。

鶴見俊輔も吉本隆明も、大正時代の末期の生まれである。鶴見が大正十一年（一九二二年）、吉本が大正十三年（一九二四年）。ということは、アジア・太平洋戦争が終わったとき、二人は二十代の前半だった、ということになる。二人は、日本の戦後という社会的・精神的コンテクストの中で執筆し、発言し、活動した。互いに相手をよく知り、好敵手《ライバル》として認め合っていた。

両者の間の論争的な含みがある本書収録の諸作品を読むと、互いの批判の激しさにあらためて驚く。相互に、相手の最も重要な部分、相手の核の部分を、ほとんど妥協の余地がないかたちで批判しあう。批判の対象になっているのは、枝葉末節ではなく、最も中心的な部分、ほとんどそれのみである。本多秋五が戦後文学について述べたときに使った有名な比喩を用いるならば、吉本も鶴見も、相手の思想を「鞍部」において乗り越えようとすることだけは絶対にすまい、と心得ている。鞍部とは、山の峰の低くくぼんでいる場所であり、思想を鞍部で越えるとは、相手の思想の最も弱いところ、最もダメなところを突いて、それを否定することで、相手の思想の全体を斥けた気分になることである。だが、誰かの思想を真に乗り越えるのは、その思想の最良の部分、その思想の最も豊かな可能性を視野に入れた上で、それを批判できるのでなくてはならない。吉本も鶴見も、それぞれ相手の思想の頂点だけを目標にして、互いを批判しあっている。

しかも、感心するのは、互いが互いの思想を正確に、かつ深く理解しあっている、ということである。激しい論争にありがちなことは、双方が相手の思想や説を誤解しあっていたり、相手の中心的なモチーフへの共感に欠如したりしている、という状況だ。こうした論争は、表現だけは激烈になるが、内容的には不毛で、互いに無関係な空中に向けて銃弾を撃ち合うようなことになる。鶴見・吉本の論争に関しては、こうした状況とは正反対である。双方が相手のことを、きわめて的確に理解しあっている。

そのため、読んでいると奇妙なことも起きる。吉本の主張が、鶴見による要約や解釈によって、吉本自身を読んだときよりも明晰に理解できたり、逆に、吉本の論述を媒介にして鶴見のモチーフの根本的な部分がより鮮明に像を結んだり、ということが起きるのである。ここに収録されている作品は、たとえば鶴見俊輔著作集や吉本隆明著作集で、それぞれ相手から切り離して読んだときよりも、本書のような相互に反照しあう関係の中で読んだ方が、より分かりやすい。したがって本書は、吉本隆明入門としても鶴見俊輔入門としても優れている。

それにしても、相互の相手への批判は非常に鋭い。ときには、相手の心臓部を全否定するような痛撃を浴びせている。批判は説得的だ。とすると、批判された側が誤ったものに、あるいは無意味なものに見えてくるか、というと、さにあらず。批判された側の思想の強度もすさまじく、激しい攻撃を受けても、なおその基本的な姿を留めている。

そして何よりも深い感銘を受けるのは、これほど徹底して批判しあっているのに、双方が深く尊敬しあっていることである。ときには、相手からの厳しい攻撃を喜んでいるのではないか、と感じられるときさえある。二人の思想家の器の大きさを感じる。

読書の指針について一言、アドバイスをしておこう。作品は必ずしも発表順・執筆順に並んでいるわけではなく、またそれぞれ皆、独立に発表されたものだ。こういう論集に関してはしばしば、「読者は興味に応じてどこから読み始めてもよい」と言われるのだが、本書についてはそうではない。鶴見や吉本の思想によく通じている人は、どこから読んでもよいが、そうではない場合には、本書の並び順に始めから読むことをお勧めする。本書については、作品の選び方、並べ方自体が、実にひとつのアートであり、この順に読むと最も理解が深まるからだ。

＊

内容に関するヒントを少しだけ述べておこう。鶴見と吉本の二人は、ほとんど同じ問題に対応しようとしている。彼らの思想的な出発点は、ほとんど同じところにあり、ほぼ同じ問いに答えようとしている。出発点とは、日本の戦争と敗戦である。先に、二人がともに大正時代の終わり頃の生まれで、終戦のときに二十歳を少し超えたところだったという事実に注意を促したのは、この年齢で終戦を迎えた者が、戦争・敗戦とともに生じた精神的な衝撃に対して、最も敏感になるからである。戦前の日本人は、誤ったイデオロギー（ウルトラ・ナショナリズム、皇国思想）から、義のない戦争を始めた。最初はアジアを侵略し、ついにアメリカとも戦争した。そして敗北した。その後、日本人は、平和や民主主義などを中核におく、ずっとましな思想を受け入れた。……というのが一般的な理解だろう。特に大きな問題は、この敗戦のときの思想の転換にある。

鶴見は、本書の冒頭に置かれている「根もとからの民主主義」を、一九四五年八月十五日の敗戦の日を回顧するところから始めている。この評論は、「六〇年安保」の直後に書かれている。鶴見が、大規模なデモを含む反安保の運動が挫折し、日米安保条約の締結を阻止できなかった究極の原因を、敗戦の仕方そのものの失敗に見ていたことが、ここから暗示される。敗戦の何が問題だったのか。

戦後の民主化について、鶴見はこう書く。「アメリカで教育をうけた私などにとってありがたかった」。にもかかわらず、民主化は「戦争中以上の絶望感をつくった」。どうして、自分が支持している民主主義が実現したのに、鶴見はそれに絶望したのか。それは、本来、絶望すべき人たちが絶望しなかったからだ。敗戦を経て絶望すべきだった人とは、誰のことか。普通は、戦前の天皇制の心酔者とか、ウルトラ・ナショナリストとかを指していると思いたくなるが、そうではない。「民主主義者、自由主義者（それから当時はかんじなかったのだが、今から考えてみれば共産主義者、社会主義者も）」である。だが、民主主義者、自由主義者等は、「天皇」を中心におく戦前・戦中のウルトラ・ナショナリズムへの批判者であり、むしろ民主化を応援する陣営なのだから、戦後の民主化を喜ぶのは当たり前ではないか。どうして、彼らは絶望すべきなのか。鶴見は、続けてこう書く。

ここには、ルールの欠如がある。自分の思想のルールから逸脱した時期のことについての記憶を保つことができず、このために、戦後の日本が、かれらの終始一貫して努力しもとめて来た民主主義、自由主義の確立を示す時期であるように見えたのである。

この「ルールの欠如」は「自発性の欠如」とも言われている。ここで鶴見が述べていることは、次のようなことだ。民主主義者たちは、実際には、終戦を迎えるまで終始一貫して民主主義や自由主義を求めて活動していたわけではない。戦前のある時期より、彼らは、「自分の思想のルールから逸脱した」。つまり、彼らは、自らの思想には反する、日本の戦争遂行を支持するイデオロギーに、積極的または消極的に加担していた。民主化は、彼らが自発的にもたらしたものではない。そのことに、民主主義者たちは絶望すべきだった、というのが鶴見の主張である。

もししかるべき絶望があれば、ここから次のような問いが出てくるはずだ。どうして、日本人は、自発的に民主化できなかったのか。日本人に、自発的に民主化できる潜在的可能性（ポテンシャル）はあったのか、あるのか。

吉本隆明の場合は、どうであろうか。吉本もまた、鶴見と同様に、敗戦の日に思想の起点がある。このことは、吉本の転向論を紹介し、検討する鶴見の文章（「転向論の展望」）にわかりやすく説明されている。吉本は、鶴見とは違って、敗戦のその日まで、ウルトラ・ナショナリストの一人だった。敗戦への予感はもっていたが、仮に負けたとしても、日本の戦いには意味があった、と言えるものになるだろう、と信じていた。その頃の吉本にとってのヒーロー（のひとり）は、詩人の高村光太郎である。高村は、負けがわかっていてもなお戦争にかける、という徹底抗戦派の詩人である。

だが、吉本隆明の『高村光太郎』を念頭におきながら鶴見が解説しているように、吉本は、一九四五年八月十五日の直後に高村が発表した詩「一億の号泣」に違和感を覚えた。吉本にとって、高村に対する最初の疑惑がこのとき萌す。この詩は、敗戦で外面（鋼鉄の武器）は崩壊したが、内面（精神の武器）は崩壊されず、ますます強化された、という内容だが、吉本はここに欺瞞を見る。ほんとうは転向しているのに——精神の武器も壊れているのに——、そのことを自覚せず、むしろ自らは非転向を堅持しているかのようにふるまい、他人の転向を批判する、という欺瞞を、である（この欺瞞は、鶴見俊輔が、「ほんらいだったら絶望すべきだったのに、絶望しなかった」と批判した、敗戦後の日本の民主主義者たちの態度にも共通している）。

吉本の転向への関心の端緒は、ここにある。本書に収録されている吉本の名高い「転向論」は、非常に独創的である。日本の近代史では、共産主義者が権力の弾圧によって共産主義を放棄することを「転向」と呼ぶわけだが、吉本にとっては、普通は非転向者とされている人たち——獄にあっても共産主義の主張を放棄しなかった知識人——も、実は転向者と変わらない（どうしてそう言えるのか、その根拠が実に興味深いのだが、それは本文をあたられたい）。

吉本は、たとえば転向という現象を分析しつつ、何を問うているのか。高村光太郎をはじめとする日本の一流の知識人はことごとく、日本社会の総体をとらえそこない、日本を誤った方向へと導いた。どうして、彼らは例外なくまちがったのか。そして、敗戦を通じて自力で再建するコースを、日本の知識人はどうして、みずからつくることができなかったのか。どうして、敗戦が日本人自身による革命によってもたらされる、という条件を、日本の知識人はつくりえなかったのか。

＊

このように、鶴見俊輔も吉本隆明も、日本人がどうして、みずからによって戦前・戦中の誤りを克服し、民主化することができなかったのか、を問うている。というと、それは、戦争を経験したダメな日本人を糾弾する仕事であって、戦後生まれの私たちにとっては、歴史的関心事以上のことではない、と思われるかもしれない。しかし、そうではない。まったく逆である。鶴見・吉本の問いは、現在でも徹底的にアクチュアルだ。なぜそう言えるのか。

敗戦後、日本人は、平和や民主主義を根幹的な理念とする憲法をもち、とりあえず、自由で民主的な社会を営んでいる……つもりでいる。しかし、敗戦後のおよそ八〇年をふりかえってみても、常にアメリカに追随してきただけで、みずから、平和で民主的な世界を構築するために貢献してきたわけではない。なぜできなかったかと言えば、日本人は、平和も民主主義も自由も、我がものとして主体化できてはいないからだ。それらをみずからの手で獲得しなかった、できなかった、ということが、現在にも影響し続けているのである。

そうだとすれば、どうして、日本人は、自らの力で民主化できなかったのかを問わなくてはならない。それだけではない。自ら誤りを自覚し、それを克服するポテンシャルが、日本人にもあったのだ、ということを何としてでも証明しなくてはならない。なぜなら、それがかつてまったくなかったとすするならば、それは現在でもないのであって、日本人は、いつまでたっても、自ら思想を獲得し、自立することはできない、ということになってしまうからだ。

鶴見俊輔も吉本隆明も、日本人のどこにそのようなポテンシャルがあったのかを全力で探究している。一見、二人は、ほとんど同じところに答えを見出しているように見える。両者ともに、エリート（政治的支配者や知識人）に対しては期待していない。民衆、大衆の中により豊かな可能性があると見なしている。鶴見俊輔が、「限界芸術」（専門家による純粋芸術と非専門家である大衆が創造し享受している大衆芸術の中間にある芸術）や日本的な内発的プラグマティズムとしての「生活綴り方運動」に関心を寄せるのはそのためである。また、吉本は、大衆としての大衆、純粋大衆とでも見なすべき、「大衆の原像」なる概念を提起する。この概念は、「日本のナショナリズム」で特に詳しく展開されている。

とすると、二人は同じような結論に到達した、ということなのか。違う。「大衆」という語によって意味されていることがらが、まったくかけ離れているのだ。それが、本書に収録された諸作品における、両者の間の主要な争点のひとつになっている。どう違うのか。ほぼ同じところを見ているはずなのに、どうして、互いに激しく批判しあうほどの相違が出たのか。それこそが、本書の読みどころである。その点を考えることを通じて、鶴見＝吉本が提起していた問いに対する、現在のわれわれの応答が可能になるだろう。

＊

最後に、本書に収録されている吉本隆明の「日本のナショナリズム」の中から、鶴見俊輔を批判した部分を引用しておこう。というのも、この部分を、鶴見が「吉本隆明」の中で引用しているからである。吉本を再批判するためではない。逆に、鶴見は、吉本を賞賛しつつ、自分への批判を紹介しているのだ。

わたしは、ソ連や中共やアメリカにどんな虚像ももたないことを代償として、日本の大衆は敵であるということが条件次第では可能であるという認識にたいしては、鶴見の断定に反対したい。あるいは、あるはにかみをもって、沈黙したい。インターナショナリズムにどんな虚像ももたないというこことを代償にして、わたしならば日本の大衆を絶対に敵としないという思想方法を編みだすだろうし、編みだそうとしてきた。井の中の蛙は、井の外に虚像をもつかぎりは、井の中にあるが、井の外に虚像をもたなければ、井の外とつながっている、という方法を択びたいとおもう。

井の外に虚像をもつことなく、井の中から井の外へとつながっていくこと。鶴見俊輔も吉本隆明も、そのような意味での「井の中の蛙」を見出そうとしていた、という点では共通している。

（おおさわ・まさち　社会学者）

【ま行】

【や行】

【ら行】

【た行】

【な行】

【は行】

人名索引

【あ行】

【か行】

【さ行】

編集付記

本書は著者の対論と関連する論考を独自に編集したものである。

一、編集にあたり、『思想とは何だろうか』(晶文社)、筑摩書房版『鶴見俊輔著作集』、勁草書房版『吉本隆明全著作集』を底本とした。ただし、単行本未収録の対論「未来への手がかり」は初出紙に拠った。

一、底本中、明らかな誤植と考えられる箇所は筑摩書房版『鶴見俊輔集』および晶文社版『吉本隆明全集』と照合して訂正した。

一、本文中、今日の人権意識に照らして不適切な語句や表現が見られるが、著者が故人であること、発表当時の時代背景と作品の文化的価値に鑑みて、底本のままとした。

鶴見俊輔（つるみ・しゅんすけ）

一九二二年東京生まれ。哲学者。四二年、ハーヴァード大学哲学科卒業。四六年五月、都留重人、鶴見和子、丸山眞男らとともに雑誌『思想の科学』を創刊。六〇年には市民グループ「声なき声の会」を創設、六五年にはべ平連に参加した。主な著書に『アメリカ哲学』『限界芸術論』『戦時期日本の精神史』（大佛次郎賞）などがある。二〇一五年死去。

吉本隆明（よしもと・たかあき）

一九二四年東京生まれ。詩人・評論家。東京工業大学電気化学科卒業。五二年『固有時との対話』で詩人として出発。その後、評論家として精力的に活動し、「戦後思想界の巨人」と呼ばれる。主な著書に『共同幻想論』『言語にとって美とはなにか』『最後の親鸞』『夏目漱石を読む』（小林秀雄賞）『吉本隆明全詩集』などがある。二〇一二年死去。

思想《しそう》の流儀《りゅうぎ》と原則《げんそく》

二〇二二年六月二五日　初版発行

著　者　鶴《つる》見《み》俊輔《しゅんすけ》
　　　　吉《よし》本《もと》隆《たか》明《あき》

発行者　松田陽三

発行所　中央公論新社
〒一〇〇-八一五二
東京都千代田区大手町一-七-一
電話　販売　〇三-五二九九-一七三〇
　　　編集　〇三-五二九九-一七四〇
URL https://www.chuko.co.jp/

DTP　今井明子
印　刷　図書印刷
製　本　大口製本印刷

Published by CHUOKORON-SHINSHA, INC.
Printed in Japan　ISBN978-4-12-005544-7 C0010

中央公論新社の本

日本思想の道しるべ

鶴見俊輔 著

日本思想の可能性とは何か。世界思想史の中で日本近代を捉えなおした初の日本思想論集全九篇。〈解説〉長谷川宏

単行本

親鸞の言葉

吉本隆明 著

名著『最後の親鸞』の著者による現代語訳で知る親鸞思想の核心。鮎川信夫、佐藤正英、中沢新一との対談を収録。

中公文庫

幕末明治人物誌

橋川文三 著

吉田松陰、西郷隆盛から乃木希典、岡倉天心まで。歴史に翻弄された敗者たちへの想像力に満ちた出色の人物論集。

中公文庫